Je pris la mer
pour me sauver
de mon p
Jamais je

Le calme
la mer se
Moi qui croyais la connaitre de
tout mon être
Je ne serais plus jamais heureuse

Le ciel sasombri
Sous mon regard meurtri
la mer est en colère
et soudain j'entendit le tonerre

La tempête a commencé
la mer est déchainé
la mer est grise comme un nuage
qui annonce l'orage

J'ai peur, je suis pétrifié, mon bateau va chavirer
Dans les profondeurs j'e rendrai mon dernier souffle
De mon père je ne reserrais plus de gifle
le clair de lune est la dernière chose que je
verrai

quand mes derniers espoirs furent envolé
parmi la tempête je vit la lumière au bout du tunnel
Mais on me sortit de là comme dans un rêve
Mon ange gardien était enfin arriver

CAMILLE

PATRICK ISABELLE

Camille

roman

LEMÉAC • JEUNESSE

Ouvrage édité sous la direction
de Maxime Mongeon

Photo de couverture : re_bekka/Shutterstock.com

Leméac Éditeur remercie le Conseil des arts du Canada, la Société de développement des entreprises culturelles du Québec (SODEC) et le Programme de crédit d'impôt pour l'édition de livres du Québec (Gestion SODEC) du soutien accordé à son programme de publication.

Financé par le gouvernement du Canada
Funded by the government of Canada | Canadä

L'auteur tient à remercier le Conseil des arts du Canada pour son soutien financier.

ISBN 978-2-7609-4221-9
© Copyright Ottawa 2015 par Leméac Éditeur
4609, rue D'Iberville, 1er étage, Montréal (Québec) H2H 2L9

Mise en pages : Luc Jacques

Dépôt légal – Bibliothèque et Archives nationales du Québec, 2015

Imprimé au Canada

Pour Lise Isabelle.
Merci d'y avoir toujours cru.

– Un –

Mathis n'avait jamais pédalé aussi vite ni avec autant de conviction. Mais Camille restait invisible. D'un bout à l'autre de l'île, il l'avait cherchée, sur toutes les plages, à tous les endroits où elle pouvait être. Pas la moindre trace de sa cousine. En temps normal, il ne se serait pas inquiété. Il la connaissait suffisamment désormais pour savoir qu'elle était forte, Camille. Mais il avait un mauvais pressentiment, une sensation étrange au creux de l'estomac. Elle ne serait pas disparue sans lui dire où elle allait. Il y avait quelque chose de plus, quelque chose qui lui soufflait de paniquer. Il ne savait pas encore quoi, mais ça sentait mauvais, tout cela.

Il laissa son vélo tomber devant la maison en espérant qu'en entrant dans la cuisine, elle serait là… qu'elle serait revenue. Il n'eut même pas le temps de faire deux pas que sa tante Caroline se précipita sur lui.

— L'as-tu vue? L'as-tu retrouvée?

Elle le serrait tellement fort par les épaules qu'il crut perdre pied pendant un instant. C'est sa mère qui arriva derrière elle pour l'arracher à lui. Il n'arrivait pas à les regarder en face. La mine basse, il leur annonça qu'il ne l'avait vue nulle part. Caroline porta une main devant sa bouche avant que son visage se transforme, ses yeux ravagés par les larmes, la peur, le chagrin. Il avait déjà vu sa tante pleurer. Jamais comme ça.

Sa mère prit Caroline par les épaules et l'entraîna à l'intérieur de la maison, son corps tremblant sous les sanglots silencieux de celle-ci. Il regarda furtivement au loin, vers la mer. *Camille, où est-ce que t'es ?* Le ciel semblait s'assombrir. Comme si un orage approchait. Une tempête. Ça se sentait dans l'air.

L'odeur du café régnait dans l'air frais de la cuisine d'été. Caroline avait trouvé place à table et fixait le vide, atterrée. Debout, près de la fenêtre, une vieille femme scrutait l'extérieur, immobile. C'était Lucy, la grand-mère de Mathis et de Camille. Tout le monde l'appelait Mams. Elle avait l'air sévère, colérique. Derrière son regard froid, elle bouillait de l'intérieur, n'osant regarder personne. Elle s'en voulait, assurément. Mathis aurait voulu aller la voir, qu'elle le prenne dans ses bras, comme avant. Mais l'ambiance était lourde. Personne n'avait vu Camille depuis la veille. Personne ne savait où elle était.

Florence, la mère de Mathis, ne tenait pas en place. Elle s'affairait sans relâche. Si elle n'était pas en train de servir du café d'un geste décidé et brusque, elle nettoyait la table, les comptoirs, elle passait le balai. Elle n'osait pas s'arrêter de crainte qu'on ne remarque qu'elle tremblait de tout son corps. S'il était arrivé quelque chose à sa nièce, elle s'en voudrait éternellement. Elle ne s'en remettrait pas. Et son mari qui ne revenait toujours pas. *Pourvu qu'il l'ait trouvée. Holy God, faites qu'il l'ait trouvée.*

Mathis non plus ne tenait pas en place. C'était insupportable. Il se sentait démuni. Il ne connaissait sa cousine que depuis à peine deux mois. Deux courts mois. Mais cet été passé ensemble avait tissé entre eux un lien plus fort que ce que même lui osait imaginer. Elle était devenue comme une petite sœur, sa petite protégée. Son amie. Il aurait voulu détruire quelque chose, prendre une chaise et la fracasser contre le mur, arrêter de tourner en rond pendant que sa famille était rongée par l'inquiétude.

Ils se raidirent tous en même temps au son du camion qui venait de se faire entendre à l'extérieur.

— Lucas est de retour, annonça Mams calmement. Il est seul.

Mathis claqua la porte derrière lui, laissant les trois femmes seules avec leur déception. Il n'avait plus envie d'entendre les lamentations de sa tante, le fracas causé par sa mère. Il voulait agir, faire quelque chose. Oui, mais quoi? Lucas, son père, sortit péniblement du camion et vint à sa rencontre.

— Elle est pas r'venue, hein?

— Non… Et toi? Personne l'a vue en ville?

Lucas hocha la tête de gauche à droite, les épaules basses. Les cernes qu'il avait maintenant sous les yeux déformaient son visage, le vieillissaient de dix ans. Il s'appuya sur la rampe de l'escalier, perdu dans ses pensées, le regard vers le large. Les pires scénarios venaient hanter son esprit, les pires images. Il secoua la tête pour essayer de les chasser, tentant de ravaler la boule qui venait de se former dans sa gorge. Il s'était vite attaché à Camille, à son rire, sa fragilité. S'il avait été pieux, il aurait prié en silence pour que rien de grave ne lui soit arrivé. Il aurait imploré le ciel de la faire revenir.

Le vent se leva, venant tournoyer autour du père et du fils. À l'intérieur de la maison, un bruit de verre qui casse se fit entendre, les sortant de leur torpeur.

— Maman est dans tous ses états. Elle a pas arrêté une minute depuis ce matin.

Lucas posa sa main dans le cou de son fils et le serra affectueusement, pour le réconforter. Il connaissait bien sa femme. Il savait qu'il ne pourrait jamais l'empêcher de s'activer. C'était sa manière de réagir au stress. Il aurait voulu dire quelque chose d'apaisant à Mathis, quelque chose pour le rassurer. Il se contenta de lui sourire, tant bien que mal, avant d'entrer.

Mams était toujours postée à la fenêtre, le regard au loin. Elle lui fit un petit signe de tête afin de saluer son retour, aussi décevant fût-il. Florence s'empressa de lui servir un café chaud. Leurs mains restèrent un instant entrecroisées autour de la tasse bouillante. Elle tremblait. Il plongea ses yeux dans les siens pour partager son inquiétude, pour la soutenir. Elle se défit de son étreinte et retourna ramasser les morceaux de l'assiette qu'elle venait de laisser tomber par terre.

Caroline était là, assise à table, le visage blême, boursouflé, les yeux rougis. Elle avait l'air épuisée, presque morte. Elle n'arrivait même pas à bouger. Il prit place à côté d'elle et lui frotta le dos tendrement.

— Caroline, *I went to the police station.* Ils ont mis tout le monde pour trouver Camille, OK ? *Don't worry*, on va la retrouver. Pourquoi tu vas pas t'étendre un peu ? T'as pas dormi de la nuit.

Elle le regarda, les yeux perdus, comme si elle ne le voyait pas vraiment. Elle était tellement fatiguée que toutes ses pensées se répercutaient en elle. Elle n'arrivait même pas à en saisir une, à comprendre ce qu'elle ressentait. Tout était chaotique dans sa tête. Elle le remercia et se leva de table comme un zombie. Aller s'étendre. Voilà qui lui ferait sûrement du bien, après tout ce qui venait de se passer.

Elle monta à l'étage machinalement, comme lorsqu'elle était petite. Ce n'est qu'une fois au grenier qu'elle réalisa qu'elle n'y avait pas mis les pieds depuis son arrivée ici. C'est Camille qui occupait sa chambre de petite fille. Elle étouffa un sanglot en regardant la petite chambre vide. Rien n'avait changé. Tout était à sa place, à quelques détails près. À bout de forces, elle se laissa tomber sur le lit moelleux, imprégné de l'odeur de sa fille. Elle aurait voulu crier, mais elle n'en avait plus l'énergie. Elle était vidée.

Un coup de vent fit voler le rideau et vint remplir la pièce. Caroline attrapa la couverture violemment pour se couvrir, se perdre dans les tissus lourds de son lit d'autrefois. En tirant sur l'édredon, elle sentit quelque chose de lourd glisser hors du lit et atterrir par terre dans un bruit sourd. Elle se pencha pour voir et ramassa l'objet délicatement.

Camille.

C'était son cahier, celui qu'elle traînait partout. Celui dans lequel elle écrivait sans cesse, à toute heure du jour ou de la nuit. Elle avait dû l'oublier là dans la précipitation. Caroline le porta à son visage. Elle avait besoin de retrouver l'odeur de Camille, de s'en imprégner. Elle hésita puis l'ouvrit. Les pages étaient remplies de l'écriture minutieuse de Camille, de ses mots.

Caroline se redressa sur le lit et prit une grande inspiration.

Et elle lut.

- Camille est disparue
- Son cousin, sa mère, sa tante, sa grand-mère, son oncle et la police l'a cherche
- Sa fait seulement deux mois qu'elle connait son cousin et le reste de sa famille (cousin dit : il ne connaissant sa cousine que depuis deux mois. Mathis aurait voulu aller la voir, qu'elle (Mams) le prenne dans ses bras, comme avant.)

- Caroline (mère) trouve un journal appartenant à Camille

29 juin

Je m'appelle Camille. En apparence, je suis une fille bien ordinaire. Quand on me croise dans la rue, ou dans les corridors de l'école, on ne me remarque pas. En partie parce qu'il n'y a rien de spécial à remarquer. En partie parce que je m'efface.

C'est dur de s'effacer. Mais je m'y applique avec soin parce que je ne veux pas qu'on s'attarde trop longtemps sur moi. Je ne veux pas qu'on voie les bleus sur mes bras. C'est pour ça que je porte toujours la vieille veste verte à ma mère. C'est aussi parce qu'un jour, ma professeure m'a dit que ça m'allait bien et que ça faisait ressortir mes yeux. Mais c'est surtout pour qu'on ne voie pas les marques.

Je ne veux pas qu'on aperçoive les cicatrices sur mes jambes. C'est pour ça qu'en éducation physique, j'essaie d'arriver la première aux vestiaires pour enfiler mon pantalon de sport et c'est pour ça que je suis toujours la dernière à en sortir. Elles sont laides, mes jambes, elles sont maigres et toutes blanches... sauf aux endroits qui ne guérissent jamais tout à fait.

Ma maman me dit que c'est quand j'étais petite, quand je suis tombée sur le calorifère. Personnellement, je ne m'en souviens pas. Mais je sais que ce n'est pas vrai. Elle ment, ma mère. Tout le temps.

Si je marche la tête basse, ce n'est pas par gêne. C'est que je ne veux pas qu'on voie mes yeux. Non seulement les autres pourraient peut-être se rendre compte que je les ai maquillés pour dissimuler l'endroit où il m'a frappée, mais ils pourraient aussi voir plus loin à l'intérieur de moi. Ils pourraient voir ma tristesse. Ma solitude. Ma peur.

Je n'ai pas peur comme la plupart des gens quand ils regardent un film d'horreur. C'est différent. Les autres ont peur de plein de choses bizarres. Ils ont peur du noir ou des fantômes qui hantent leur chambre. Ils ont peur de couler leurs examens, peur de se faire priver de télévision.

Moi, j'ai peur de mon père.

Aussi loin que je me souvienne, il a toujours été comme ça. Mais je ne me suis jamais habituée, parce que je ne sais jamais quand ça va arriver. Des fois, il se calme pendant quelques semaines. Quand il a des épisodes très intenses, après coup, il se sent mal, il s'excuse et il se calme. Mais mon père, c'est comme la météo. Il y a toujours une accalmie avant la tempête. À peine le temps de s'habituer au beau temps que la pluie revient.

Je n'en ai jamais parlé à personne. Je n'en suis pas capable.

J'ai honte. Je ne veux pas qu'on me prenne en pitié. Je ne veux pas qu'on me place dans une famille d'accueil. Pire, dans un centre.

Je ne veux pas laisser ma mère seule avec lui non plus. Ce serait pire pour elle, même si, en général, elle se met en travers de son chemin quand il s'en prend à moi.

Ils sont déjà venus chez moi, la DPJ, pour parler avec ma mère et moi, pour nous convaincre de partir. Mais nous n'avons rien dit. Ma mère a menti, encore, et a trouvé des excuses, et moi, je ne pouvais rien faire d'autre que d'acquiescer. Ils sont venus à mon école aussi, pour m'interroger. Mais je n'ai pas été capable de leur avouer que j'en avais assez. Ma mère dit qu'ils ne veulent pas vraiment mon bien, qu'ils veulent juste m'arracher à elle. Elle a peut-être raison.

Avec le temps, c'est devenu facile de mentir. Parfois, je mens tellement bien que je finis même par me croire. Mais tous les matins, quand je me regarde dans le miroir de la salle de bain, les marques sont toujours là, me rappelant que la tempête n'est jamais vraiment loin.

Des fois je prie.

Il n'y a pas de religion chez moi, alors je ne sais pas qui je prie, mais peu importe. Je me dis qu'il y a sûrement quelqu'un qui écoute quelque part, quelqu'un qui va s'apercevoir qu'il y a eu une erreur, que je ne suis pas tombée dans la bonne famille, qui va arranger tout ça. S'il vous plaît, que je lui dis, s'il vous plaît, faites que ça arrête. Protégez ma maman. Protégez-moi. Faites qu'il meure. Je vous en prie, faites qu'il disparaisse…

Je le déteste.

Je ne devrais pas dire cela. C'est sûrement mal de penser ça de son père. Quand je le regarde, plusieurs émotions surgissent en moi, mais l'amour n'en fait jamais partie. C'est pire depuis que Mario est mort.

Mario, c'était mon chat. C'est papa qui me l'a donné quand j'avais sept ans. Cette fois-là, il avait fait très mal à ma mère. Pendant des semaines, elle a eu un bras dans le plâtre et elle a dû rester couchée parce qu'elle avait de grosses migraines. Commotion, qu'ils avaient dit à l'hôpital. Le concierge de notre immeuble avait par la suite posé des tapis dans les escaliers pour éviter «qu'elle perde à nouveau pied». Moi je savais qu'elle n'était pas tombée dans l'escalier, parce que je l'avais entendue crier. J'avais entendu les os de ma mère se briser. Je savais que c'était de sa faute.

Alors il m'a donné Mario. Ça ne pardonnait rien, bien sûr, mais j'étais contente d'avoir de la compagnie, d'avoir mon petit toutou vivant. Il était tout petit, dans ce temps-là, tout taché de noir et de blanc avec de grands yeux bleus.

Dans le creux de mon cou, il s'était couché en ronronnant et je suis tombée follement amoureuse de lui. C'était mon protecteur, mon seul ami. Je pouvais tout lui dire, il ne répétait jamais rien. Il se contentait de me lécher la main en comprenant. Il me suivait partout et dormait avec moi chaque nuit. Quand j'étais triste ou que j'avais peur, il venait me voir et me réconfortait. Quand mon père s'approchait de moi, il crachait et dressait son poil haut dans les airs pour le faire fuir.

C'est comme ça qu'un jour, alors que mon père était furieux contre nous, Mario s'est dressé devant lui. J'aurais dû écouter mon père et baisser le son de la télévision. Mais je voulais enterrer les cris. Quand mon père est arrivé, la main levée au-dessus de son épaule, Mario a bondi de sur moi et lui a sauté dessus en le griffant au visage, en crachant sa colère contre mon père.

Deux secondes.

C'est le temps que ça a pris à mon père pour prendre Mario par le gras du cou et le lancer sur le mur avec des yeux noirs en se tordant de douleur. Il ne m'a pas frappée ce jour-là, mais Mario n'a plus jamais été le même. La vétérinaire a dit qu'il n'y avait rien à faire, que ses petits os de chat étaient irréparables… Nous avons donc mis fin à ses souffrances et nous l'avons fait euthanasier.

J'étais là quand il est parti, je le flattais, les yeux remplis de larmes. Il m'a lancé un petit miaulement et ses grands yeux bleus se sont fermés, comme s'il s'endormait. Quand il a arrêté de respirer, je suis restée là à pleurer pendant un bon moment, pendant que la vétérinaire me caressait le dos. Pauvre Mario. En voulant me sauver, il avait donné sa vie. Ça a brisé quelque chose en moi. Je crois que c'était la première fois que je me rendais vraiment compte de la situation dans laquelle je me trouvais. Ce n'est pas normal ce que tu vis, que je me suis dit. Ça a fait un immense vide en moi, comme un grand trou. La seule chose que j'avais pour le remplir, c'était de la colère, du froid. Ce jour-là se sont éteints avec Mario toute joie, tout espoir. Il y a quelque chose en moi qui est mort en même temps que lui.

Qu'il me frappe, qu'il me crie des noms. Ça ne m'atteint plus. Je me réfugie loin à l'intérieur de moi, loin dans le vide qu'il a créé, et je me laisse faire. Quelquefois, au bout d'un moment, je fais semblant de pleurer pour qu'il arrête. Et je prie. Faites qu'il meure, que je dis. Faites que ça arrête.

Je ne sais pas ce que ça fait de mourir, mais ça ne m'effraie pas.

Parfois, quand personne ne regarde, je tourne sur moi-même, très vite, jusqu'à perdre l'horizon, jusqu'à ne plus distinguer le haut du bas, jusqu'à ne plus savoir de quel côté je tourne. À ce moment-là, je me laisse tomber par terre et il se passe quelque chose d'extraordinaire… plus rien n'a de sens. Tout tourne autour de moi, tout se dématérialise. Il n'y a plus de gauche ni de droite, plus de haut ni de bas. C'est comme si je tombais, en chute libre, comme si mon corps était en apesanteur. Puis, dans le creux de mon ventre, apparaît comme un feu, un chatouillement intérieur comme des milliers de fourmis qui partent dans tous les sens.

Dans ma tête, mourir, c'est ressentir ça tout le temps. C'est plonger dans l'oubli, dans le chatouillement de mon ventre.

Ce ne serait pas si mal.

Au moins, j'arrêterais d'avoir peur. Je suis tannée d'avoir peur.

○ Elle se fesait battre par son père
○ Elle cachait ses bleus et blessures
○ Une fois il avait cassé la jambe de sa mère et il avait donner un chat à Camille pour se pardonner.
○ Mario (chat) est mort
○ Le père avait des périodes douces mais souvent violent
○ La DPJ est venu, mais Caroline et Camille ont menti
○ Mario défend Camille et père tue Mario

– Deux –

Bernard Aubin essuya la sueur qui perlait sur son front et brancha le petit ventilateur en métal qui traînait sur son bureau. La journée s'annonçait longue, humide et pénible. Il n'aimait pas particulièrement se trouver là, encore moins dans des circonstances semblables. Il aurait préféré être bien gentiment assis derrière son bureau, à Bathurst, à répondre à ses courriels. Il aimait son travail, incontestablement. Mais depuis la grande restructuration qu'avait opérée la Gendarmerie royale du Canada dans la province, il ne se sentait pas à sa place lorsqu'il devait s'éloigner du quartier général. Les agents en poste avaient perdu un certain confort et recevaient toujours avec un peu d'appréhension les inspecteurs que le QG leur envoyait. Heureusement, le sergent Caissie était un de ses amis. Ils avaient fait leur formation ensemble, bien des années auparavant, et avaient toujours gardé de bons contacts.

Celui-ci venait d'entrer dans le petit bureau blanc. Il déposa un café sur le bureau à l'intention de l'inspecteur Aubin et prit place sur le fauteuil face à son supérieur.

— C'est pas l'meilleur café au monde, mais notre machine de d'habitude a rendu l'âme la semaine passée.

Aubin n'en tint pas rigueur à Caissie. Il aurait besoin de caféine. La nuit avait été courte. Il n'avait même pas eu le temps de se réveiller complètement quand il avait reçu l'appel de son supérieur le sommant de se rendre dans la péninsule le plus vite possible. Le seul café qu'il avait eu entre ses mains depuis son réveil refroidissait encore dans sa voiture. Le petit préposé au service à l'auto avait oublié d'y ajouter le sucre, à son grand dépit, il n'y avait donc pas touché. Il détestait ce truc et n'en buvait que dans des circonstances exceptionnelles. Ce matin-là en était.

Il avait les yeux rivés sur l'écran d'ordinateur. La connexion internet prenait une éternité à télécharger les informations sur l'intranet. Aubin sacra intérieurement et prit une gorgée de son café. Imbuvable, mais sucré. C'était déjà une consolation. Sans lever les yeux, il demanda à Caissie :

— Tu la connais, la p'tite ?

Caissie, à moitié endormi, se raidit sur sa chaise. Aubin avait une voix grave, autoritaire, qui ne cesserait jamais de le surprendre.

— Non. Techniquement, elle n'a même pas d'adresse légale ici. J'ai demandé à la

Sûreté du Québec de faire des recherches de leur bord. Ils sont censés nous revenir avec ça dès que possible. J'connais bien Lucas, par exemple… Un bon *Jack*.

— C'est son oncle, c'est ça?

— *Yep*. Camille, c'est la fille de sa belle-sœur. Caroline, son nom. Ma femme a été à l'école avec elle.

— Pis le père?

— Le père de qui?

— De la petite.

— Aucune idée… j'pense pas qu'il soit dans le décor.

Aubin soupira. Il cala le contenu de sa tasse d'un coup et se leva brusquement. Suivi par Caissie, il se dirigea vers la réception où l'agente Losier tentait, tant bien que mal, de dégager la feuille de papier coincée dans le télécopieur du poste régional. Elle sursauta à la vue de l'inspecteur.

— Karen, toujours pas de nouvelles de la SQ?

La jeune femme secoua la tête.

Aubin saisit les clés de l'auto-patrouille qui lui avait été assignée et fit signe au sergent de le suivre. Il enjoignit à l'agente Losier de l'appeler sur son téléphone portable aussitôt qu'elle aurait du nouveau.

— Où est-ce qu'on s'en va? demanda Caissie, un peu ébranlé par la spontanéité d'Aubin.

— On va aller interroger la famille.

— Mais…

Le sergent Caissie hésita. Il ne voulait pas brusquer son supérieur, encore moins lui dire quoi faire, mais il y avait plein de paperasse essentielle à remplir, des appels à faire. Il aurait aussi voulu être là quand son collègue du Québec allait rappeler. Aubin s'immobilisa devant la portière de la voiture et regarda Caissie pour la première fois.

— Mais quoi?

— On serait pas mieux de lancer une alerte AMBER?

Aubin leva les yeux au ciel.

— On est à combien sur quatre?

Caissie calcula dans sa tête et baissa la tête, comme s'il venait de se faire prendre en flagrant délit.

— Deux.

— Bon. Ben, tant qu'on a pas les deux autres, on peut rien faire d'autre que d'enquêter. T'as mis toutes tes patrouilles sur le cas, *right*?

Caissie acquiesça.

— Bon. Embarque. Le temps que la SQ se donne la peine de nous revenir, on a le temps d'apprendre tout ce qu'on a de besoin de la bouche de la famille.

Il monta dans la voiture et entra l'adresse sur l'appareil GPS de la voiture de patrouille. Il aurait voulu être ailleurs. Être de meilleure humeur. Il aurait voulu faire un somme, peut-être manger un bon déjeuner. Mais il devait faire son travail, aussi désagréable fût-il. De toutes les enquêtes, ces cas-là étaient les pires. Une fois Caissie assis à ses côtés, il fit démarrer la voiture, en soupirant. Bernard Aubin détestait les cas de disparition.

Ça finissait rarement bien.

- Bernard Aubin est policier
- Cassie est policier
- Ils vont intéroger la famille pour en savoir plus
- Elle n'a pas d'adresse légale et ils ont demandé à la sûreté du Québec de leur dire s'il s'avait quelque chose.

30 juin

C'est long, l'été. Je n'ai pas envie d'être en vacances. Ça fait seulement une semaine que l'école est terminée, et je compte déjà les jours qui me séparent de la rentrée. À l'heure où tous les autres ont des rêves et des projets plein la tête, moi je me retrouve seule. Quand il y a l'école, au moins ça me fait changer d'air, ça me fait vivre autre chose. J'ai déjà lu tous les livres que j'ai empruntés à la bibliothèque. J'ai déjà fait le tour de toutes les chaînes de télévision. Le jour, quand mon père n'est pas là, je vais au parc. Je m'installe dans un coin où personne ne va jamais, sous le grand arbre qui pleure, et j'écoute des CD dans le vieux baladeur de ma mère. Des fois, j'en profite pour rattraper mon sommeil. Les nuits sont courtes, ces temps-ci. Chaque fin de mois, c'est toujours pire. Parce qu'il reçoit son chèque.

Quand il a de l'argent, mon père, il boit. Et quand il boit, c'est pire. L'alcool l'aveugle. Ses yeux deviennent comme vides, comme s'il n'y avait plus d'âme derrière son regard. C'est dans ces moments-là qu'il est le plus épeurant.

Quand j'ai vu l'orage s'en venir, j'ai décidé de rentrer. De toute manière, je préfère être là quand mon père reviendra. On ne sait jamais de quelle humeur il peut se trouver et je n'aime pas laisser ma mère seule avec lui. Des fois, quand je suis là, il est plus gentil avec elle. Je suis soulagée de ne pas apercevoir son camion dans le stationnement de notre immeuble. Notre vieux bloc laid. Laid et beige et terne. Notre prison. À l'intérieur, ça sent le renfermé, le vieux tapis pas lavé, ça sent l'abandon. Mais plus on s'approche de notre logement, plus ça sent bon. Ma mère fait toujours brûler des chandelles qui dégagent de bonnes odeurs d'épices et de fleurs.

Je referme la porte de l'appartement et mon cœur s'arrête de battre. J'entends des voix dans la cuisine.

J'arrive trop tard.

Je respire mieux quand j'aperçois monsieur Bergeron assis à la table de la salle à manger. Je lui fais un petit sourire poli. Monsieur Bergeron, c'est notre concierge. Il est gentil avec nous. Il nous apporte souvent des vêtements que sa femme et ses filles ne portent plus. L'autre jour, il nous a même rapporté des fruits frais du marché. Des fois, quand je le croise, il me donne des bonbons ou des biscuits que sa femme a faits elle-même. Mais je n'aime pas la façon dont il me regarde.

Car il sait. C'est sûr qu'il sait. Parce que si moi j'entends la musique des voisins à travers les murs, c'est évident qu'eux, ils entendent les cris.

Ma mère m'appelle *sa puce* et me donne un baiser sur le front, comme elle fait tout le temps. Elle a mis sa belle robe, celle avec des fleurs qui lui donne l'air d'une madame. Elle a remonté ses beaux cheveux en toque derrière sa tête. J'aime ça quand elle les coiffe comme ça. Moi, j'ai beau essayer, mes cheveux sont trop gros, trop fous pour tenir ainsi. En la regardant bien, je crois déceler un peu de maquillage discret. Elle est belle. Quelqu'un qui ne sait pas ne remarquerait jamais l'enflure sur sa tempe.

Je me dirige vers le frigo, je suis assoiffée. Mais il n'y a rien dedans. Pas de lait, pas de jus, même pas un pichet avec de l'eau froide dedans. Rien. Je fais couler l'eau du robinet pour qu'elle refroidisse un peu. Du coin de l'œil, j'aperçois monsieur Bergeron qui pose sa main sur celle de ma mère. Ils parlent à voix basse en chuchotant, comme s'ils se disaient des secrets. Il vient sûrement réclamer le loyer. Il repartira sans doute les mains vides, comme d'habitude. Pauvre monsieur Bergeron. Il finira par se tanner des mensonges de ma mère. Mais malgré ses airs de monsieur, ses chemises repassées et ses cheveux trop bien peignés, il a l'air compatissant. Je prends mon verre d'eau et je les laisse seuls dans la salle à manger. Assise par terre dans le salon, adossée au divan, je pose mon cahier d'écriture sur mes genoux. Il est beau, mon cahier. On dirait un vieux grimoire comme j'en ai déjà vu dans des films. Je l'ai gagné à l'école, et depuis, j'y déverse mes états d'âme. Ça me défoule et je me dis que si jamais on me retrouve sans vie, ça expliquera peut-être quelque chose.

J'allume le téléviseur. Une vieille émission américaine traduite par des Français. Je n'ai pas envie de changer de poste. De toute manière, je n'écoute pas ce que les personnages disent. Je ne fais qu'entendre. Je sais que papa va rentrer d'une minute à l'autre. Ça me rend nerveuse. S'il trouve maman assise avec monsieur Bergeron, il va encore se mettre dans tous ses états et la traiter de tous les noms. Elle m'a dit l'autre jour que c'est parce qu'il est jaloux. Il l'aime tellement qu'il a peur qu'elle le quitte pour un autre homme. Je lui ai répondu que c'était une drôle de manière d'aimer. Elle n'a pas su quoi répondre.

BANG.

La porte d'entrée vient de se refermer bruyamment. J'ai l'impression que les murs tremblent. C'est peut-être juste moi.

BANG BANG BANG. Les pas. Les pas de mon père dans le couloir. Je me fige, je m'immobilise en fixant la télévision. J'essaie de me rendre invisible, comme à l'école. Je ne veux pas voir ça.

Mon père titube jusque dans la cuisine, bruyant. Il est bruyant. Il est saoul. Ça paraît. Je le sais à sa manière de marcher, comme si ses jambes allaient se dérober sous lui. Je le sais à ses yeux vitreux, presque rouges. Je le sais parce qu'il a reçu son chèque hier et que c'est toujours comme ça, chaque mois. Il s'arrête net en remarquant monsieur Bergeron, comme si on venait de le frapper. Je le vois essayer de retrouver l'équilibre. Il a l'air sonné.

« Qu'est-ce qu'y fait icitte, lui, câlisse ? »

Ma mère baisse les yeux. Elle marmonne quelque chose, je n'entends pas bien. Monsieur Bergeron se lève poliment et reste debout devant mon père, quelques instants… une éternité. *Allez-vous-en, monsieur Bergeron, s'il vous plaît, allez-vous-en,* que je lui dis en pensée. Mon père se penche vers le concierge, avec toute son arrogance. Il prend le bout de papier qui traîne sur la table, un chèque, et le lance à monsieur Bergeron.

« Ben, tu l'as, là, ton crisse de chèque ! Qu'est-ce tu veux de plus ? »

Je frissonne et je serre mon cahier contre ma poitrine en continuant de fixer la télé, comme hypnotisée par l'écran. Il est vraiment saoul. Je le sais par sa voix. Sa voix enrouée, molle, agressive. Sa voix grave, celle qu'il n'a pas tout le temps. Celle différente de celle qu'il utilise en me serrant dans ses bras, en s'excusant.

Monsieur Bergeron lance un regard suppliant à maman qui reste les yeux fixés sur la table, comme si c'était la chose la plus intéressante qu'elle ait vue de toute sa vie.

« BEN ENWÈYE ! DÉCRISSE ! »

Monsieur Bergeron contourne mon père et il part, sans dire un mot. Personne ne bouge, c'est comme si le temps s'était arrêté. Je n'ose même plus respirer.

Mon père frappe violemment sur la table, brisant le silence. Je sursaute. Il est penché sur maman, tout près de son visage, menaçant.

« C'est quoi ? Tu te mets belle pour le concierge, asteure ? Pourquoi tu te mets jamais *cute* de même pour moi, hein ? »

Maman reste de glace, elle ne le regarde pas. Elle ne lui dit rien. Je pourrais jurer qu'elle tremble. Parce que je tremble moi aussi. Ce n'est pas une bonne journée. Dehors, le ciel est devenu sombre, comme s'il se mettait au diapason de ce que je vis. Ça sent l'orage, ça sent l'humidité et la pluie. Ça sent la tempête, dehors comme à l'intérieur. Je ne sais juste pas laquelle va frapper en premier.

Je ne vois pas la main de mon père heurter le visage de maman. Mais je l'entends. Comme un fouet. Comme un manteau d'hiver qu'on froisse quand il est gelé. C'est comme s'il me

33

frappait moi, ça a le même effet. Je le ressens jusque dans mes os. Ma mère pousse un petit cri en essayant de se protéger avec ses petites mains. «S'il te plaît, François, pas devant Camille…», réussit-elle à murmurer.

Je me recroqueville sur moi-même en continuant d'étreindre mon cahier, de toutes mes forces. Mon père se retourne et se rend alors compte de ma présence. Son visage se transforme en un affreux rictus, comme s'il essayait de me sourire, de se faire rassurant. Il fait quelques pas pénibles vers moi, quelques pas d'ivrogne.

«Va dans ta chambre, Camille!» qu'il m'ordonne.

Mais je ne peux pas bouger, je suis figée sur place. Je veux. De toutes mes forces, je veux m'en aller d'ici… mais mon corps refuse d'obéir. Le regard de mon père. C'est tout ce que je vois. Ses yeux vides et noirs. Vitreux. Sa haine. Je suis terrorisée. Je tente de soutenir son regard, de lui faire front, mais je vois ma mère secouer la tête derrière lui.

«HEY! J'AI DIT: VA DANS TA CHAMBRE!»

Il m'arrache mon cahier et l'envoie valser sur le mur. L'espace d'une seconde, j'ai revu Mario rebondir sur le mur, j'ai réentendu ses petits os craquer. C'est comme un rêve, comme quelque chose qui ne se passe pas pour vrai. Un cauchemar. Un autre. La voix de ma mère me sort de ma paralysie. *Va dans ta chambre, ma puce, fais ce qu'il dit.* La toute petite voix de ma mère. Suppliante. Je suis debout, j'esquive mon père et je me sauve, je cours vers ma chambre. Je ferme vite ma porte et je me précipite sur mon lit, dans le coin de ma chambre, en panique.

Je fouille dans mes couvertures pour trouver mes écouteurs, mais j'ai à peine le temps de les poser sur mes oreilles. J'entends mon père crier des insultes à maman. J'entends les claques, les coups, les chaises tomber. J'entends maman pleurer et tomber par terre. Mon père gueuler. Refrapper. Encore. Il est saoul. Encore.

Je monte le volume au maximum et j'essaie d'écouter la musique, d'écouter la chanteuse. Mais rien n'arrive à étouffer les cris. Je ferme les yeux, cherchant mon oreiller à tâtons, en essayant de ne plus exister. En espérant que ça ne dure pas longtemps. En espérant qu'il ne viendra pas s'en prendre à moi lorsqu'elle perdra connaissance. Et je prie. Faites qu'il meure, que je dis. Faites que ça arrête.

Dehors, il pleut à boire debout. Le vent tourbillonne dans ma chambre, fait voler les rideaux comme des fantômes qui me hantent. Je saisis ma couverture et je m'enveloppe à l'intérieur, au chaud. C'est un autre soir de tempête chez moi, dans ma tête. Au bout d'un moment, je réussis à m'endormir.

○ Son père boit beaucoup
○ M. Bergeron le concierge est chez eux quand son père arive
○ Son père frape à plusieur reprise sa mère, camille essaie de l'ignorer

– Trois –

Mams n'avait pas dormi de la nuit. Son corps, qui la faisait déjà souffrir en temps normal, ne semblait pas bien réagir au manque de sommeil. Elle se leva et se dirigea vers la salle de bain où elle avala deux comprimés d'analgésique. Calmer ses vieux os, apaiser sa migraine, endormir ses inquiétudes…

Sa fille Florence était en pleine action. Comme toujours, depuis qu'elle était toute petite, elle passait son stress à s'occuper à autre chose. Elle ne fut donc pas surprise de la retrouver dans la cuisine en train de faire de la soupe.

— Tu peux arrêter, fille. Va t'étendre un peu, je vais la continuer.

Mais Florence ne voulait rien entendre. Elle ne pouvait pas comprendre pourquoi tout le monde autour d'elle semblait si calme, comment sa sœur faisait pour ne pas devenir complètement folle. Si c'était Mathis qui manquait à l'appel, elle le savait, elle deviendrait hystérique. Mams n'insista pas et la laissa popoter nerveusement dans la cuisine.

Elle s'inquiétait aussi. Mais quelque chose en elle, comme une prémonition, lui donnait la certitude que sa petite-fille était toujours en vie, quelque part. Elle le saurait s'il lui était arrivé quelque chose de grave, elle le ressentirait, elle en était absolument persuadée.

Mams sortit à l'extérieur rejoindre son gendre qui se tenait debout, les bras croisés, observant l'horizon. Elle lui frotta le dos vigoureusement. Il était troublé, elle le voyait bien.

— Vous auriez dû me réveiller, Mams, quand vous avez vu qu'elles ne rentraient pas. *I would've done something.*

— Ça n'aurait rien changé, mon Lucas. Je pouvais pas savoir, moi non plus.

Elle ne s'était doutée de rien. Camille, la veille, lui avait dit qu'elle passerait la soirée seule avec sa mère pour regarder le grand feu d'artifice de la fête de l'Acadie. Elle n'avait pas posé de questions. Ces deux-là avaient besoin de se retrouver, de passer du temps ensemble. C'était une vie bien étrange qu'elles avaient vécue et elles ne réussiraient à panser leur blessure qu'en restant solidaires. Tout au long de l'été, elle n'avait pas aimé voir Camille s'éloigner de sa mère. C'était une bénédiction pour elle de la voir se rapprocher d'elle.

Elle les avait attendues longtemps, les imaginant marchant côte à côte le long de la plage, se confiant l'une à l'autre. C'était jour de fête, les excès étaient de mise. Elle-même était rentrée tard avec Florence, Lucas et Mathis. C'est même elle qui avait conduit la fourgonnette parce que Lucas avait un petit verre de trop dans le nez. La journée avait été chaude et amusante. Ils avaient pique-niqué, regardé le défilé, fait le plus de bruit possible pour participer au Grand Tintamarre qui était devenu coutume depuis quelques années. Mams avait toujours été fière de ses origines acadiennes, d'avoir su élever ses enfants en français dans une province que tout destinait à être envahie par « l'autre langue ». Elle le répétait toujours à qui voulait bien l'entendre.

Elle avait allumé la petite télévision dans la salle à manger et regardait les nouvelles se répéter depuis des heures, confortablement assise dans sa chaise berçante. Elle ne les écoutait pas vraiment, mais ça lui donnait quelque chose à faire et le faible son de l'appareil la calmait. Quand, au petit matin, elle avait vu Caroline revenir toute seule, en état de panique, elle avait tout de suite su que quelque chose n'allait pas.

Mams regarda son gendre qui semblait plus atterré que jamais. Elle aurait voulu lui dire quelque chose de rassurant, mais elle le connaissait assez pour savoir que ça ne ferait qu'augmenter sa frustration. Lucas était un homme bon et droit, qui disait les choses telles qu'elles étaient. Il ne passait jamais par quatre chemins pour dire ce qu'il avait à dire, mais préférait généralement se taire plutôt que de causer de la chicane. Elle appréciait ça chez lui. C'était un homme fort et juste avec le cœur sur la main. Elle remerciait le ciel tous les jours d'avoir mis quelqu'un comme lui sur la route de sa Florence. Elle aurait voulu avoir cette chance-là, elle aussi.

— Je vais retourner en ville pour essayer de la trouver, je pense.

C'était ce qu'il avait de mieux à faire, elle le savait. Rester ici finirait par le rendre fou.

— OK.

Il la serra dans ses bras et remonta dans la fourgonnette. Il démarra aussitôt en laissant Mams seule devant la maison. Quelque part, il en était certain, il verrait apparaître une chevelure rousse. Il fallait qu'il la trouve. Ce n'est pas qu'il ne faisait pas confiance à la police. Tom Caissie avait même fait venir un inspecteur de Bathurst sur-le-champ. Mais il aurait voulu que tout le monde arrête de vivre pour partir à la recherche de la petite. À cent... à mille, ils réussiraient à la trouver.

Mams entra dans la maison où l'odeur de la soupe aux tomates régnait désormais. Dans la salle à manger, Mathis était assis, la tête enfouie dans ses bras croisés sur la table. Il avait dû s'assoupir là. Le réveil avait été brutal

pour lui. Elle lui frotta le dos et lui murmura
d'aller s'étendre dans sa chambre. Elle regarda
son petit-fils, à moitié endormi, quitter la
pièce et s'installa sur sa chaise berçante. Elle
avait toujours la migraine, mais les cachets
commençaient à agir. Elle posa sa tête sur le
carreau de fenêtre. Il était froid, ça lui fit du
bien.

Elle ferma les yeux et, sans qu'elle s'en
rende compte, la raison se dissipa et elle
tomba endormie.

- Toute la famille est stressé
- Tout le monde est fatigué
- Personne n'a trouvé Camille

1er juillet

— Camille… Camille, réveille-toi.

Je fais un bond dans mon lit, je me redresse subitement. Ma mère est accroupie près de moi. L'espace d'un moment, je me demande où je suis, ce que je fais là. Et puis les événements de la veille me reviennent d'un coup, comme un flash de caméra. J'enlève les écouteurs qui sont toujours accrochés à mes oreilles.

— Maman? Est-ce que ça va?

— Chhhhhut, ne le réveille pas. Lève-toi.

Elle tend l'oreille vers le couloir, mais il n'y a aucun autre bruit, à part les ronflements de mon père qui font trembler les murs.

Peu à peu, dans l'obscurité de ma chambre, je commence à distinguer les objets. À peine le temps de regarder vers maman qu'elle est déjà dans ma garde-robe. Elle me lance mon sac à dos et commence à ouvrir mes tiroirs pour fouiller à l'intérieur. J'essaie de lui demander ce qui se passe, mais elle continue de me chuchoter de ne pas faire de bruit. *On s'en va.* C'est tout ce qu'elle me dit. On s'en va. Elle a l'air paniquée, je ne l'ai jamais vue comme ça.

Je me lève rapidement et j'enfile ma veste verte à toute allure. Les culottes, les bas, les robes, les chandails, un jeans. Les uns après les autres, au fur et à mesure qu'elle les jette sur mon lit, je les fourre dans mon sac, le plus compact possible pour que tout y entre. Mon baladeur, quelques disques importants, la photo de Mario, mon livre de la bibliothèque. Tout se passe si vite. Est-ce que j'oublie quelque chose? Où allons-nous? Pour combien de temps?

— Dépêche-toi, ma puce, me dit-elle en sortant de ma chambre d'un pas rapide.

Je balaie ma chambre d'un œil rapide. J'ai l'essentiel, me semble-t-il. Je ferme avec difficulté mon sac et je l'installe sur mon dos tant bien que mal. Il est trop rempli, trop lourd, mais peu importe… nous partons. Quelque chose dans ces deux petits mots me chavire. Je prends mes vieilles godasses dans mes mains pour que mes pas ne soient pas trop bruyants et je me précipite vers la cuisine sur la pointe des pieds, en écoutant attentivement la respiration de mon père dans la chambre du fond.

Mon cœur bat vite, je l'entends dans mes oreilles, je le sens sauter dans ma poitrine. Ma mère m'attend dans la cuisine, son énorme sac d'armée kaki à côté d'elle. Tout l'appartement est plongé dans le noir, dans le silence. Mais je peux voir les marques sur son visage. Il l'a frappée encore. Il n'y a pas été de main morte. Je déteste les fins de mois, c'est tout le temps pareil.

J'enfile mes souliers en silence. S'il se réveille, que je me dis, s'il se réveille on est mortes. J'aperçois mon cahier par terre, dans le salon. Je le saisis rapidement. Ma mère et moi échangeons un long regard. Elle a un air triste et apeuré et tout à coup incertain.

Je hoche la tête. Ça va bien aller, maman, que je lui dis avec mes yeux. Je prends les devants, je m'élance vers la porte en prenant soin de ne pas la faire grincer. J'y suis habituée, je m'éclipse souvent dehors quand il est dans tous ses états. Maman agrippe sa grosse poche verte et, une fois la porte refermée derrière nous, après nous être assurées que nous ne l'avons pas réveillé, nous descendons l'escalier à la vitesse de l'éclair.

Dans l'air frais et humide de la nuit, nous courons vers la voiture de ma mère. Elle gare toujours sa vieille Plymouth au fond du stationnement parce qu'elle ne l'utilise que rarement. C'est un vrai tacot, du genre avec trois places sur la banquette avant, avec un volant tellement gros que les mains de ma mère semblent minuscules lorsqu'elle le tient.

Nous lançons nos sacs sur la banquette arrière et nous pénétrons dans l'auto. Je tremble de partout, en partie à cause du froid, mais aussi par nervosité. À tout moment, je m'attends à le voir sortir de l'immeuble en courant, en criant.

Le moteur démarre, déchirant le silence de la nuit. Ma mère ne prend même pas le temps d'attacher sa ceinture de sécurité. En moins de temps qu'il n'en faut pour respirer, nous sommes sorties du stationnement.

Je ramène mes genoux contre moi et je fixe la route, hypnotisée par elle. Je n'arrive pas à croire que je me trouve là, au beau milieu de la nuit. Nous roulons en silence pendant longtemps, comme si nous avions peur que, si l'une de nous parle, le moment ne s'efface.

Quand nous traversons le pont qui nous mène hors de la ville, je sens quelque chose en moi que je n'ai jamais senti avant. Quelque part, au fond de moi, mêlé aux papillons d'excitation et de nervosité, quelque part, je me sens libre. Plus légère.

Mieux.

Maman coupe le moteur.

À l'horizon, le bleu foncé de la nuit commence à disparaître pour faire place aux couleurs pastel du matin. Du jaune pâle entremêlé de rose et de bleu ciel, de bleu pur. Là où nous allons, le ciel est clair et limpide, comme si aucun nuage ne l'avait touché avant.

Je m'étire de tout mon long. Ça fait déjà longtemps que nous roulons sur l'autoroute et j'ai les jambes engourdies, les yeux lourds.

Maman pousse un grand soupir. Quand je la regarde, elle se met à pleurer de manière incontrôlable. Elle porte une main à sa bouche en essayant de ravaler ses sanglots. Maman, que je lui dis, ça va être correct. Je me rapproche d'elle, je l'enlace. Elle s'accroche à moi avec une force que je ne lui connaissais pas et elle se met à pleurer très fort en poussant des cris. Je la laisse faire. Je lui flatte le dos. Je fais des petits chut avec mes lèvres, comme elle l'a fait avec moi des tonnes de fois.

Je la laisse pleurer.

Elle devait avoir gardé ça à l'intérieur d'elle pendant longtemps, tellement longtemps. Il fallait que ça sorte. Pauvre maman. Je sais ce que c'est de fonctionner normalement avec une boule dans la gorge, avec un nœud dans l'estomac. Quand ça explose, il n'y a rien d'autre à faire que de laisser passer le temps. Attendre que les larmes cèdent la place à la paix. Après coup, ça libère et on peut enfin se sentir mieux.

Tranquillement, les sanglots cessent et nous restons un moment enlacées, nos deux corps respirant au même rythme, synchronisé. Dehors, le soleil se lève à l'horizon. C'est un nouveau jour.

Elle saisit mon visage avec ses deux mains et dépose un baiser sur mon front. En plongeant ses yeux bouffis dans les miens, elle dit : « Je m'excuse tellement, Camille. Je m'excuse. Il ne nous fera plus jamais mal. »

En sentant les sanglots revenir, je lui demande où nous allons, pour lui changer les idées, pour savoir. Elle se redresse et s'essuie le visage en se regardant dans le rétroviseur. Son œil droit est enflé et commence à prendre une drôle de couleur. Elle est blessée aux lèvres aussi, elle a même encore un peu de sang séché sur le bord.

« On s'en va loin… à la seule place où il n'osera pas venir nous chercher, qu'elle me répond en replaçant ses cheveux. Viens. »

Nous sortons de la voiture. Des odeurs de fleurs et de forêt remplissent le vent chaud qui fouette mon visage. Je ferme les yeux et je prends une grande respiration pour m'imprégner de la senteur du sentiment de liberté que je ressens. Je rattrape ma mère qui entre déjà dans le petit magasin de la station d'essence où nous nous sommes arrêtées.

La clochette accrochée au-dessus de la porte semble sortir du sommeil le vieux monsieur au comptoir. Il nous grommelle un petit bonjour en nous observant du coin de l'œil. Ma mère est surexcitée, comme un petit enfant dans un magasin de jouets. Elle marche en sautillant entre les allées et rit en garnissant mes bras de tout ce qu'elle trouve d'intéressant.

Nous sortons du magasin les bras remplis de bonnes choses. Des muffins et des sandwichs, des jus et du chocolat, des bonbons, des craquelins, des bouteilles d'eau. Nos plus belles trouvailles sont des lunettes de soleil. Celles de ma mère sont si grosses qu'elles cachent la moitié de son visage. Elle a l'air d'une abeille, mais ça lui va à merveille. Avec ses longs cheveux tombant de chaque côté de son visage, on dirait une vedette de cinéma d'Hollywood. J'ai opté pour une paire moins grosse, mais teintée d'orangé. Avec mes lunettes, tout a l'air plus ensoleillé, plus vivant, plus beau. Je peux distinguer les différents verts que prennent les feuilles des arbres, et le ciel du matin semble tout droit sorti d'un livre de contes fantastiques.

Maman fait le plein d'essence et nous reprenons la route, souriantes. Elle me demande d'ouvrir la boîte à gants et de mettre de la musique. À l'intérieur, il y a plusieurs vieilles cassettes, la plupart sans boîtier. Après les avoir observées attentivement, et n'ayant aucune idée de ce que chacune d'elles peut bien contenir, j'en choisis une au hasard et je l'insère dans le lecteur de cassettes de la Plymouth.

En entendant le son des guitares sortir des haut-parleurs, ma mère lance un cri enjoué et monte le volume en frappant sur le volant.

« Ça, ma puce, c'est un signe que tout va bien aller ! »

Elle a l'air heureuse. Elle a l'air d'avoir vingt ans de moins. Je souris et j'écoute la chanteuse irlandaise chanter que sa vie change. Chantant aussi fort qu'elle, ma mère prend une gorgée de son énorme café et s'allume une cigarette. Je ne l'ai jamais vue fumer avant. Papa a toujours eu horreur de la cigarette. Mais elle a l'air d'adorer ça. Ça lui donne un air distingué.

Je déballe un sandwich et je le mange tranquillement, me laissant bercer par la route. Le vent qui entre par les fenêtres de l'auto m'apporte une gamme d'odeurs plus exquises les unes que les autres. Je n'ai jamais voyagé. Je n'ai jamais vu d'aussi beaux paysages. Des rivières aux montagnes, tout est nouveau pour moi, presque magique. Je ne veux rien manquer. Il y a tout un monde à l'extérieur de ma vie, tout un monde à découvrir. Un monde que je n'ai vu qu'à la télévision, dans des films. Nous sommes parties, comme des voleurs dans la nuit. Nous nous sommes sauvées. C'est irréel, voire inconcevable. J'ai sommeil, mais j'ai peur de m'endormir et de me réveiller pour m'apercevoir que j'ai rêvé tout cela. Nous roulons vers un ailleurs loin de mon père, loin de la peur et de la violence. Nous allons vers le soleil, là où, paraît-il, il ne nous trouvera pas.

Je m'accote sur le bord de la portière et je ferme les yeux, laissant le vent chaud de la route caresser mon visage. La musique s'est calmée et je me laisse partir dans mes pensées au son de la chanteuse devenue nostalgique, au son de la voix claire de maman qui connaît toutes les chansons par cœur. Il y a quelque chose de rassurant dans sa voix, quelque chose qui me dit que tout va bien aller.

Enfin.

J'ouvre les yeux.

L'auto est immobile et baignée de soleil. Je me redresse subitement. Maman n'est plus là. Je frissonne puis me rends compte que je suis recouverte du châle de ma mère. Elle a dû le déposer là pendant que je dormais. Combien de temps ai-je dormi? Où sommes-nous? Je sors de la voiture.

Il me faut un moment pour sentir la vie revenir dans mes jambes. C'est comme si elles avaient oublié comment se tenir debout. Le soleil est bien haut dans le ciel au-dessus de moi. Il doit être passé midi.

La voiture se tient seule au milieu d'un petit stationnement. Pas très loin, une petite cabane en bois avec des écriteaux de toilettes accrochés au-dessus de la porte. De l'autre côté, l'autoroute se perd en serpentin dans la montagne. Nous sommes dans des montagnes. Des arbres à perte de vue. Je prends mes lunettes qui étaient tombées sur la banquette et, en les mettant, j'aperçois les drapeaux. J'en ai vu sur la route, principalement ceux du Québec et du Canada. Mais celui-là, je ne le connais pas. Il y a un bateau sur un fond jaune vif. Au-dessus s'allonge un lion doré sur un fond rouge.

Hypnotisée par les drapeaux, je ne vois pas ma mère revenir vers la Plymouth. Je sursaute quand je sens ses bras me prendre par-derrière.

« T'avais l'air de tellement bien dormir, j'ai pas osé te réveiller. »

Elle a enfilé de nouveaux vêtements. Avec sa longue jupe de gitane et sa camisole blanche, avec ses longs cheveux châtains, presque blonds dans le vent, avec ses verres fumés et ses sandales, le visage nettoyé et maquillé, elle ne ressemble plus à ma mère. Elle est belle. Resplendissante. Tout droit sortie d'un magazine.

— Wow, t'es belle !

— Merci. Tu devrais aller te changer, toi aussi, t'as encore ton linge d'hier sur le dos. Profites-en pour faire une pause pipi, on a encore un bout de chemin à faire.

Je ne pose pas de questions, je saisis mon sac sur la banquette arrière et je me dirige vers la cabane de bois. Dans la salle de toilettes qui sent beaucoup trop les produits nettoyants chimiques, j'enlève mes vêtements de la veille.

Après avoir passé ma petite robe blanche d'été par-dessus mon jeans capri, je m'assure qu'on ne peut pas voir les cicatrices sur mes jambes. J'enfile mes sandales et je regarde le tas de linge qui traîne par terre. Je remets ma veste verte et je fous le reste de mes vêtements en boule. Pendant un instant, j'hésite. Puis je les jette. Je ne veux plus jamais les voir. Je ne veux plus jamais les porter. Ils me rappelleraient toujours les événements de la veille. Ils me rappelleraient mon père.

L'eau froide sur mon visage fait du bien. Il fait chaud. En m'observant dans le miroir, j'essaie de replacer mes cheveux qui partent dans tous les sens, mais rien à faire. Ils refusent de se laisser faire. Normalement, je les aurais attachés en tas derrière ma tête, mais dans la précipitation de notre départ, je n'ai pas pris d'élastique. Je laisse mes cheveux retomber sur mes épaules, sens dessus dessous, et j'accroche mes lunettes derrière mes oreilles. Mon reflet me fait un petit sourire en retour. Je ne l'avais jamais vu faire ça.

Je retrouve ma mère penchée sur une immense carte routière sur le capot de la voiture. En me voyant arriver, elle fait une boule avec la carte et la jette sur la banquette arrière. Après avoir fouillé dans un des sacs, elle me tend un sandwich et une cannette de jus. Nous prenons place sur le capot bouillant de l'auto et nous mangeons en silence, le regard et les pensées perdus dans la vue splendide des montagnes devant nous. Le vent dans les cheveux.

— Maman ? Où est-ce qu'on est ?

Elle baisse son regard sur moi en éclatant de rire.

— On est au Nouveau-Brunswick, ma puce. On est chez nous.

Chez nous...

Ma mère ne parle jamais beaucoup d'elle, ni de son enfance, ni de l'endroit où elle a grandi. Mais le Nouveau-Brunswick, je connais ça, parce que c'est de là que viennent, chaque année, les cartes de Noël de ma grand-mère.

Nous allons chez ma grand-mère. Je vais la rencontrer, pour la première fois, je vais voir ma tante Florence, je vais rencontrer ma famille, celle que je ne connais pas. Nous allons en Acadie. Chez ma mère. Chez nous...

— On s'en va chez grand-maman ?

— On a pas le choix... Reste à espérer qu'elle nous virera pas de bord.

Ma mère ne parle jamais de grand-maman. Le nom de sa sœur, Florence, a déjà été mentionné à quelques reprises, mais c'était surtout par papa qui nourrissait envers elle une haine terrible. Néanmoins, grand-maman m'envoie, chaque année, un billet de vingt dollars dans une carte que je garde précieusement dans un bas, bas qui se trouve maintenant bien au fond de mon sac à dos.

— Pourquoi elle nous virerait de bord ?

— Pourquoi pas? La dernière fois que je l'ai vue, t'avais même pas trois ans.

— Vous vous êtes chicanées?

— On peut dire ça comme ça, oui…

Je n'ose pas poser d'autres questions. Nous finissons de manger nos sandwichs en silence, sous le soleil tapant. J'ai l'impression d'être très loin, c'est un sentiment extraordinaire. Je ne sais pas si c'est pour cette raison que j'ai des chatouillements dans le creux du ventre ou si c'est par nervosité. Je vais rencontrer ma famille. Que va-t-elle penser de moi?

Nous retournons sur la route au son de la musique country qui joue à la radio. L'autoroute se transforme en route de campagne et bientôt, plus un signe de vie à des kilomètres à la ronde, pas même d'autres voitures. Que de la forêt et des montagnes. Des montagnes russes de routes. Pour chaque pente que la Plymouth réussit à monter, il y en a une autre plus à pic à descendre de l'autre côté. Pourvu que la voiture tienne le coup.

Au bout de quelques heures, des maisons réapparaissent sur le bord de la route. Je recommence à respirer normalement. Puis quelque chose dans le fond de l'air semble changer, quelque chose d'à peine perceptible, mais qui se trouve bien là. C'est là que je l'aperçois au loin. La mer. Perdue quelque part entre le ciel et l'horizon, il y a la mer à perte de vue. C'est encore loin, mais je la vois clairement. Ici et là, les drapeaux rouges et dorés disparaissent pour faire place à un autre drapeau. Bleu, blanc et rouge avec une grosse étoile jaune dans le coin gauche. Quelques kilomètres plus loin, il est partout, sur les poteaux, sur la route, sur les maisons.

— Bienvenue en Acadie, ma puce. Bienvenue chez nous.

- Camille et sa mère se préparent pour partir
- Caroline est triste et commence a pleurer de toute ses forces
- Caroline est contente et elle chante et ai joyeuse
- ils sont au Nouveau-Brunswick
- ils vont chez la grand-mère de Camille en Acadie

– Quatre –

— Caroline ?

Elle sursauta, réalisant qu'elle devait avoir l'air étrange, assise sur le lit de sa fille, son journal entre les mains. Elle se redressa aussitôt. Florence venait de faire irruption dans la chambre. Elle avait été tellement prise par sa lecture qu'elle ne l'avait pas entendue monter.

— C'est Camille ?

Sa sœur secoua la tête. Elle portait un plateau sur lequel était déposé un grand bol de liquide fumant qu'elle déposa sur le petit bureau près de la fenêtre.

— Je m'excuse, je ne voulais pas te déranger. J'ai pensé que tu aurais peut-être envie d'avaler un petit quelque chose.

Florence s'assit tranquillement sur le bord du lit et regarda sa sœur, l'air triste.

— Lucas est reparti en ville pour continuer les recherches. Le sergent Caissie a appelé. Ils vont venir nous poser des questions. Inquiète-toi pas. Elle peut pas être bien loin.

Caroline attrapa sa sœur par le cou et la serra fort dans ses bras. Elle était persuadée que tout était de sa faute. La culpabilité la rongeait. Mais elle n'arrivait pas à le dire, comment le pourrait-elle ? Elle avait honte. En lisant les mots de sa fille, elle réalisait, pour la première fois, l'ampleur de ce qu'elle lui avait fait vivre. C'était insoutenable. Et maintenant qu'elle savait, qu'elle aurait voulu s'excuser, s'expliquer, se faire pardonner, celle-ci avait disparu. Disparu.

Peut-être que Florence pourrait comprendre, l'écouter. Autrefois, lorsqu'elles étaient petites, elles n'avaient jamais eu de secrets l'une pour l'autre. Elles se disaient tout, sans tabou, sans honte. Mais ça lui paraissait une éternité maintenant, tout était différent. Depuis qu'elle s'était disputée avec sa mère, Flo et elle n'avaient plus vraiment eu de contacts. Elles avaient changé. Florence avait rencontré Lucas, établi ses racines près de Mams. C'était son choix. Le sien avait été de suivre son cœur. Elle en payait le prix depuis, elle le savait.

Florence flatta les longs cheveux de sa sœur. Elle aurait voulu comprendre, mais elles n'avaient jamais su se parler. Depuis l'adolescence, c'était comme si elles ne parlaient pas la même langue. Elles avaient vécu dans les non-dits toute leur vie. C'est comme si elles en étaient prisonnières. La plupart du temps, Florence réussissait à ne pas penser à cette époque-là. Trop de mauvais souvenirs. Mais ce matin, elle n'arrivait pas à oublier. Tout lui était revenu d'un coup...

— Essaie de manger un peu, ça va te faire du bien.

Florence ferma la porte derrière elle et laissa sa sœur seule dans le silence de la petite chambre fleurie. La pièce était réconfortante. C'était comme retrouver un vieil ami. Elle avait passé tant d'heures enfermée ici à s'inventer d'autres vies, à se cacher. C'était une autre vie, tout ça. Une vie qui n'était pas meilleure que celle qu'elle avait quittée. Du moins, le croyait-elle. Peut-être aussi que François l'en avait persuadée. Elle n'était plus certaine de ce qui était vrai ou non. Elle préférait oublier. S'en tenir au moment présent. Mais c'était plus difficile, maintenant qu'elle était de retour.

Elle prit le cahier, qu'elle avait laissé tomber par terre en voyant sa sœur dans la pièce, et se dirigea vers le petit bureau. Par la fenêtre, elle pouvait apercevoir quelques rayons de soleil se frayer un chemin à travers les nuages gris qui envahissaient le ciel. Quelques lumières d'espoir. Elle prit une cuillerée de soupe chaude à la tomate, sans appétit, puis rouvrit le journal de Camille.

Elle se sentait mal de s'immiscer dans la tête de sa fille. Mais l'envie de continuer sa lecture était plus forte que sa raison. Elle s'apercevait qu'elle n'avait aucune idée de l'adolescente que sa petite puce était devenue. La lucidité de sa fille, sa plume juste et acérée, lui rentrait dedans comme un coup de poing. Elle avait tenté de la protéger de tout ça, de préserver son innocence. Si seulement elle avait su…

- Caroline est dans la chambre de sa fille son journal dans les mains
- elle est très inquiètes
- sa soeur vient la réconforter
- Caroline et Florence n'ont pas toujours été proche

3 juillet

— Qu'est-ce que tu fais?

Elle ne me répond pas. Maman laisse la voiture ralentir jusqu'à ce qu'elle s'arrête au bord du chemin. Elle flatte le volant, comme si elle remerciait la voiture d'avoir tenu la route aussi longtemps. Le moteur tourne bizarrement et ça commence à sentir le brûlé dans l'auto. Maman éteint la radio et s'allume une autre cigarette. J'ouvre tout grand ma fenêtre. Je ne suis pas certaine que j'aime cette nouvelle habitude chez elle. Mais je sais qu'elle a de la peine, alors je ne lui dis rien.

— Tu vois au bout du chemin, là-bas, la grande maison aux volets bleus?

— Oui.

— C'est là que j'ai grandi.

Nous regardons la maison en silence. Sous les rayons éclatants du soleil qui descend vers la mer, on dirait une carte postale. Je suis bouche bée, je ne sais pas quoi dire. Je regarde ma mère qui tire sur sa cigarette, nerveuse. Je me demande comment on peut quitter un si bel endroit pour aller vivre ailleurs. Le terrain est immense et la maison se dresse fièrement sur une dune donnant directement sur le large. Ici, il y a des arbres à profusion et ça sent les fleurs, le sel, le froid.

— Ça te fait peur, hein ?

Elle hoche la tête. Ça doit être un choc pour elle de se retrouver là, après toutes ces années. Je lui caresse le dos pour lui donner du courage. Nous avons roulé longtemps, je ne veux pas que nous fassions demi-tour. Elle prend une grande respiration, jette son mégot par la fenêtre et dirige la voiture sur le petit chemin de terre, vers la grande maison blanche.

Nous descendons de la voiture. La première chose qui me frappe, c'est le bruit des vagues. Ça enveloppe tout, ça me prend au ventre. J'aime ça. Mes cheveux se perdent dans le vent, mon regard est porté vers le large. La beauté de la mer me coupe le souffle. Du bleu à perte de vue, jusqu'à ce qu'on ne puisse plus distinguer où s'arrête l'horizon et où commence le ciel.

— *Holy shit, Caroline, is that you ?*

Il se dirige droit sur nous avec un râteau à la main. On le surprend sans doute en train de travailler sur le terrain, ses habits sont sales, tachés de terre et de gazon. Il enlève son chapeau et se met à courir vers ma mère en riant ! « C'est toi, qu'il crie, c'est vraiment toi ! Florence ! Florence ! *Get over here !* » Il se jette dans les bras de maman, content de la voir. Il l'embrasse fermement en lui tenant les épaules et prend une pause pour la regarder en souriant.

— J'arrive pas à y croire, c'est toute une surprise, ça!

Il m'aperçoit et regarde ma mère, puis me regarde à nouveau.

— *No way!* Toi, tu dois être Camille, *right? Oh my God, last time I saw you, you were just a tiny little baby!* Moi je suis ton oncle Lucas.

— Bonjour.

Je serre la main qu'il me tend, un peu gênée devant tant d'enthousiasme. Il a à peine le temps de prendre le sac de maman que je vois une jeune femme dévaler l'escalier de la véranda à toute allure. Elle court vers nous. C'est Florence, ma tante Florence. Je la reconnais, je l'ai déjà vue sur des photos. Elle est belle, beaucoup plus belle en vrai et elle ressemble tellement à ma mère qu'on pourrait facilement les prendre pour des jumelles. Mais Florence est un peu plus grande et ses cheveux ont l'air aussi mêlés que les miens. Ma tante s'arrête net devant nous, comme si elle venait de frapper un mur invisible. Elle nous regarde, les yeux écarquillés, visiblement sous le choc. Quand maman enlève ses lunettes de soleil, ses yeux se remplissent de larmes. La meurtrissure sur son œil a pris de l'expansion et est maintenant un mélange de rouge, de violet et de jaune. Florence porte une main à sa bouche et s'approche de maman.

— Je m'excuse, Flo, je savais pas où aller, je savais pus quoi faire…

Sa voix se brise en sanglots. Ma tante se jette dans les bras de ma mère et toutes deux s'agrippent l'une à l'autre en pleurant. Elles restent comme ça longtemps, à se tapoter le dos pendant que je les regarde, émue. Elles ne sont pas capables de parler. Il y a juste ma tante Florence qui répète *c'est correct, c'est correct.* Mon oncle Lucas, lui, sourit, heureux des retrouvailles. Il rit nerveusement en se passant une main dans les cheveux. Il met le sac de ma mère sur son épaule et se dirige vers la maison.

Elles finissent par se séparer et ma tante pose une main sur la joue de ma mère.

— Vous êtes toujours les bienvenues par icitte, ma sœur, qu'elle lui murmure avant de se retourner vers moi.

Elle me serre contre elle et me donne un baiser sur le front, comme le fait toujours maman.

— Maudit que tu ressembles à ta mère quand on était jeunes, c'est hallucinant! Tu te souviens de moi? Moi, j'suis ta tante Florence, la sœur de ta mère. *God*, la dernière fois que j't'ai vue, t'étais haute de même!

Je lui souris, un peu gênée, un peu mal à l'aise devant tant d'affection. Je n'ai aucun souvenir d'elle, je ne veux pas lui faire de peine. Elle passe une main autour de mon épaule et agrippe ma mère de l'autre en nous entraînant vers la maison, la grande maison blanche avec les cadres de fenêtre peint en bleu. Il y a une immense galerie qui en fait le tour sous laquelle fleurissent les plus belles fleurs que j'aie jamais vues. En montant l'escalier, j'en attrape une que je porte à mon nez. Je veux me souvenir de cette odeur-là. Toujours.

Dans la cuisine, le bonheur fait place à la tension. Tout le monde se tait en même temps. Assise dans un grand fauteuil berçant, grand-maman lève les yeux vers nous. La femme que j'ai devant moi n'a rien à voir avec celle que j'ai vue sur des photos. Celle-ci est petite et costaude et ses cheveux sont tout gris et remontés à l'intérieur d'une casquette. Derrière ses lunettes, ses petits yeux bleus semblent transpercer l'âme de maman. Elle dépose son livre et se lève tranquillement pour se diriger vers nous.

— C'est lui qui t'a faite ça? qu'elle dit d'une grosse voix en regardant maman.

Les yeux de ma mère, à peine secs, se remplissent de larmes à nouveau.

— C'est correct, sa fille, c'est correct, allez. T'es à la maison maintenant, c'est ça qui est important. T'as pus de soucis à te faire.

Elle lui fait une courte étreinte, plutôt froide, et retourne s'asseoir dans son fauteuil, le plus normalement du monde. Ma mère s'avance vers elle.

— Je m'excuse, maman, j'ai…

— OK, OK, on reparlera de tout ça plus tard, l'interrompt-elle. Pour l'instant, c'est la belle Camille que je veux voir. Alors, tu viens pas donner un bec à ta grand-mère ?

Prise au dépourvu, je me dirige vers ma grand-mère qui me tend la joue en me montrant du doigt l'endroit où je dois l'embrasser. Je m'exécute, ne sachant pas trop comment agir. Je lui dis un petit bonjour timidement et tente de retourner vers ma mère, mais elle me prend par le bras.

— Laisse-moi te regarder un peu, ma grand' fille. Mon Dieu tu ressembles à ta mère quand elle avait ton âge… sauf les cheveux. Ça, c'est de ton grand-père que tu retiens ça. Moi je m'appelle Lucy, c'est ça, mon nom. Mais tu peux m'appeler Mams. C'est comme ça que Mathis m'appelle et j'aime bien ça. Tout le monde m'appelle Mams par-icitte. Mais bon, c'est libre à toi.

Quelle drôle de femme. Je m'attendais à une mamie aimante et douce. Je trouve plutôt une vieille madame rude et directe. Distante. Florence me fait faire rapidement le tour de la maison pendant que maman en profite pour aller se doucher. Au tout dernier étage, dans le grenier, ma tante ouvre une petite porte et me présente la chambre dans laquelle je peux m'installer.

Je n'en crois pas mes yeux. La pièce est toute petite, mais si accueillante. C'était la chambre de ma mère quand elle était petite, me dit Florence. Je pousse le rideau fleuri puis les volets de la fenêtre qui s'ouvre sur la mer. Je regarde ma tante, éblouie devant la chance que j'ai de pouvoir dormir ici. Elle me sourit, l'air triste tout à coup. Je m'assois sur le lit moelleux.

— Qu'est-ce qu'il y a?

— Rien, je suis juste contente que vous soyez là, contente de te voir… de vous savoir saines et sauves.

Elle fixe la fenêtre, l'air perdue dans ses pensées. Mon lit est plus que confortable, il est divin. Rien à voir avec mon autre lit, celui de l'appartement. Je pourrais rester toute ma vie couchée dans un lit pareil.

— Mathis, c'est ton gars, c'est ça? C'est mon cousin?

— Oui, c'est ton cousin. Attends.

Elle quitte la pièce et revient quelques secondes plus tard avec un cadre qu'elle me tend. C'est une vieille photo. Un petit garçon et une petite fille qui jouent dans le sable, souriants.

— C'est toi pis lui, quand vous étiez petits. Tu devais avoir, quoi, deux, trois ans là-dessus. Je l'ai prise juste devant la maison, là-bas.

J'observe la petite photo. J'ai beau me creuser la tête, je ne me souviens pas de ce moment-là. Je ne me souviens même pas être déjà venue ici. J'ai peine à me reconnaître dans la petite fille rieuse de la photo.

J'ai l'air d'y être si heureuse.

- Camille et sa mère se rende à l'endroit où Caroline a grandi
- Camille rencontre toute sa famille
- Mams est direct et rude selon Camille
- Elle a une chambre à elle au grenier (l'ancienne de sa mère)

– Cinq –

Personne ne porta attention à Caroline lorsqu'elle traversa la maison pour aller se servir une tasse de café dans la cuisine. Toute la concentration de Florence était reportée sur le téléphone. Elle ne l'avait pas quitté depuis une heure, appelant toutes les personnes qu'elle connaissait sur la côte acadienne. Quelqu'un, quelque part, avait vu Camille, elle en était persuadée. Mams, quant à elle, avait fini par s'assoupir sur sa chaise berçante, la tête sur le carreau de la fenêtre. Elle avait combattu le sommeil longtemps et s'était endormie sans même s'en apercevoir. Un sommeil profond et réparateur duquel on ne sort pas facilement.

Lorsque Caroline fit irruption sur la véranda, elle ne remarqua pas Mathis qui était assis dans les marches. Un café dans une main, le journal de Camille dans l'autre, elle était trop ancrée dans ce qu'elle venait de lire pour prendre conscience de quoi que ce soit autour d'elle. Elle avait l'impression étrange d'être entrée dans la tête de sa fille comme on entre dans un roman. D'un côté, elle s'en voulait de cette intrusion dans les pensées intimes de Camille. De l'autre, elle espérait qu'apparaisse entre les lignes un indice quelconque sur l'endroit où elle pouvait bien se terrer. Plus elle lisait, plus il lui paraissait improbable que quelque chose de mal lui soit arrivé. Pas à elle. Pas à sa Camille.

Installée dans le grand fauteuil, son café brûlant déposé sur la rampe de la véranda, elle s'alluma une cigarette et prit une grande bouffée. Elle observa le tube en expirant la fumée autour d'elle. Pendant des années, elle n'avait pas touché à une seule cigarette. Elle ne savait pas trop pourquoi elle s'y était remise. Ça la détendait. En maîtrisant cette partie-là de sa vie, ça lui donnait l'impression d'être libre. Elle feuilleta le cahier de Camille pour essayer de retrouver l'endroit où elle s'était arrêtée.

— C'est le cahier de Camille, ça, non ?

Caroline sursauta en apercevant Mathis qui s'approchait d'elle. Il s'adossa au mur de la maison, le regard au loin. C'était comme si elle le voyait pour la première fois, ce grand garçon, presque un homme. Elle se sentit soudain vieille. Elle avait passé l'été ici sans jamais vraiment le remarquer, lui qui était devenu l'ami de Camille.

— Oui. Elle l'a oublié dans sa chambre.

Il ne la jugeait pas. Il mourait d'envie, lui aussi, de pouvoir lire ce que sa cousine avait bien pu écrire dans ces pages. Mais, il en était persuadé, les mots de Camille auraient plus d'impact sur sa tante que sur lui. Il avait passé tant d'après-midi avec elle, il en savait plus que n'importe qui sur sa situation. Rien de ce qu'il trouverait entre ces lignes ne le surprendrait. Elle avait fini par se confier à lui, par tout lui dire, même ce qu'elle n'osait pas s'avouer.

Mathis s'immobilisa. Il se redressa, le teint livide, comme s'il venait de voir un fantôme. Il regarda le cahier, puis sa tante, et sursauta, les yeux exorbités. Il fila dans la maison à toute vitesse pour en ressortir aussitôt, son sac sur le dos. Caroline se leva, instinctivement.

— Qu'est-ce qui se passe ?

— Je dois y aller. Je pense que je sais peut-être où elle est !

Elle n'eut pas le temps de lui demander quoi que ce soit. Il était déjà au bout du chemin, à cheval sur son vélo. «J'espère que tu sauras la trouver», murmura-t-elle. Elle serra le cahier sur son cœur, priant en silence que le vent guide son neveu vers Camille.

Elle s'emmitoufla dans la couverture qui traînait sur le fauteuil et reprit sa lecture, les yeux remplis de larmes.

- Elle sort dehors avec le cahier de Camille et une tasse de thé
- Mathis s'approchent il aimerait lui aussi lire le cahier
- Camille disait tout a Mathis
- Mathis s'est peut-être où elle pouvait être

4 juillet

Perdue dans le brouillard entre le rêve et la réalité, je reste allongée dans le lit de plumes frais, ensevelie sous d'épaisses courtepointes. Quelques rayons de soleil ont trouvé leur chemin jusqu'à mon visage, emportant avec eux la brise saline de la mer. Par-dessus l'odeur du vieux bois flotte celle de la lavande, un bouquet a été posé près du lit, pendant que je dormais. Je voudrais rester allongée ici toute la journée à observer la mer par la lucarne.

Le vent qui souffle du golfe, c'est comme ça qu'on l'appelle, fait craquer les murs de la maison. Mais j'entends quand même au loin, par-dessus les cris des oiseaux marins et des vagues qui meurent contre la rive, le bruit des rires et de la conversation dans la cuisine au rez-de-chaussée. Ça me remplit de bonheur. Ça doit ressembler à ça, la vraie vie.

Je m'habille lentement, savourant chaque seconde passée dans cette chambre, m'observant dans le miroir de la vieille coiffeuse peinte en blanc. J'ai dû dormir longtemps, je me sens tellement détendue et apaisée. Les petits cernes qui voilent mes yeux ont l'air d'avoir disparu et même mes cheveux ont l'air plus jolis que d'habitude, comme s'ils étaient un peu moins roux, un peu moins frisés. Après avoir enfilé un jeans et une camisole blanche, j'enroule ma veste verte autour de ma taille. Un peu de lavande dans mes cheveux et j'ai l'air d'une petite princesse. Je souris, sans pouvoir m'en empêcher. Je ne sais pas combien de temps nous resterons ici, mais j'espère que nous ne repartirons pas bientôt. Je n'ai encore rien vu, je ne connais encore vraiment personne.

J'ouvre mon cahier et j'y dépose un brin de lavande. Il finira par sécher en imprégnant les pages de son odeur… Si nous partons, je pourrai toujours, si je m'ennuie, retrouver ce matin-là dans mon cahier.

Toc toc toc. La porte de la chambre s'ouvre tranquillement.

— Camille? Ah! T'es debout. Mams m'a ordonné de venir te tirer du lit. Y a un brunch pour une armée sur la table en bas!

Mathis entre dans ma chambre, sans gêne. Je l'ai rencontré hier soir, mais je ne lui ai pas beaucoup parlé. Il est un peu plus vieux que moi, je crois. Il a l'air plus vieux. Quinze ans. Seize, peut-être. De quoi on parle avec un garçon de cet âge-là? Je n'en ai aucune idée. Je me lève d'un coup et je replace les couvertures et les courtepointes sur le lit.

— OK, merci, Mathis. J'arrive.

Mais il ne s'éloigne pas, il reste accoté sur le bord de la porte à m'observer.

— Qu'est-ce que t'écris là-d'dans? Un roman?

— Non… juste des choses qui me passent par la tête.

— Comme un journal intime?

— Ouin, si on veut. Tu vas pas au port aujourd'hui?

— Naaaan. C'est dimanche, c'est congé. Pis *anyway*, la saison du homard est finie, ça fait que y a pus grand-chose à faire pour moi.

— Ah… OK.

— Après le déjeuner, je te fais visiter le boutte, si tu veux.

J'en meurs d'envie.

Mais je dois vérifier auprès de ma mère d'abord. Je ne sais toujours rien de ses plans, je ne sais pas si nous restons ici longtemps. Je l'espère. Mais avec elle, on ne sait jamais. Elle ment, ma mère. Trop souvent.

Je hoche la tête. Il m'intimide, mon cousin. Il a cette manière de me regarder comme si on s'était toujours connus et il me pose toujours un tas de questions, sur la ville, sur le Québec, sur moi. En fait, il parle tout le temps, sans arrêt, comme si tout ce qui lui passait par la tête devait absolument sortir de sa bouche. Mais il ne semble pas avoir de mauvais en lui. Pas de jugement. Il ne fait que sourire tout le temps, avec une aisance hallucinante. Il a l'air parfaitement, bizarrement, heureux.

Nous dévalons les marches pour aboutir dans la salle à manger qui s'ouvre sur la cuisine où, littéralement, un festin nous attend. Lucas manie la poêle et fait tourner des crêpes dans les airs. Toute la pièce est remplie d'odeurs divines d'œufs, de bacon, de pain grillé, de crêpes et de café. De la vieille radio sort la voix éraillée d'une vieille chanteuse jazz par-dessus laquelle ma tante Florence discute avec ma grand-mère de je ne sais pas trop quoi. Sur la table, un grand pichet de jus d'orange perlé de condensation semble n'attendre que nous. Par la grande fenêtre, j'aperçois maman assise dans un fauteuil berçant, emmitouflée dans une couverture, un café dans une main, une cigarette dans l'autre. Plongée dans ses pensées, elle fixe le large, l'air serein. Nostalgique. Je contourne la table pour aller la rejoindre, mais Mams m'aperçoit et me retient.

— Oh ! Non, jeune fille. Personne ne quitte cette maison sans avoir d'abord avalé un petit-déjeuner. Allez, assieds-toi avec nous.

Je n'ose pas la contredire. D'un côté, j'ai envie d'aller serrer ma mère dans mes bras. Je n'ai pas eu l'occasion de lui parler de tout ça depuis que nous sommes arrivées. De l'autre, Mams est si directe que j'en suis déstabilisée. Pourtant, elle me fait un grand sourire en fermant les yeux, satisfaite de son impact. Elle n'est pas méchante. Juste un peu autoritaire.

Ça me gêne beaucoup de ne pas la connaître davantage.

Je prends place à table et ma tante Florence me sert un énorme verre de jus d'orange glacé. Je savoure son goût sucré, légèrement citronné. C'est bon et rafraîchissant. Ça me remplit de bonheur. Lucas dépose une montagne de crêpes chaudes sur la table devant nous.

— Goinfrez-vous, tout le monde ! C'est rempli d'amour pis de bonnes choses, ces crêpes-là !

Mathis s'extasie devant le repas et me chuchote à l'oreille qu'il adore les dimanches matin. Il attaque furieusement les plats devant lui, visiblement affamé. Au même instant, maman entre dans la cuisine, la couverture sur ses épaules. Elle se joint à nous et me fait un petit clin d'œil, un sourire en coin. Je vois bien qu'elle a les yeux rouges, qu'elle a encore pleuré. Mais elle fait comme si de rien n'était et se sert une généreuse portion d'œufs brouillés et de bacon. Je lui souris, pour la réconforter, et je fais couler du sirop sur mes crêpes fumantes.

C'est divin !

Tout cela me semble tellement irréel. C'est le plus beau matin de ma vie. Soudainement, la vie paraît si simple, si belle. Je suis dans une belle maison, sur le bord de la mer, j'ai une famille et de la joie partout autour de moi. Pour la première fois, je n'ai pas peur, je n'appréhende rien. Je peux juste profiter de chaque instant, chaque bouchée de délice sucré, chaque sourire. Tout le monde parle par-dessus les cuivres qui retentissent ici et là dans la salle à manger, tout le monde rit. Malgré tout, j'ai une pensée pour mon père. Où est-il? Que fait-il? Comment peut-il bien réagir à notre absence? Je me sens si loin, si perdue. Et pourtant, jamais auparavant je ne me suis sentie à ce point à la bonne place, au bon moment... chez moi.

Après avoir mangé, je m'assois tranquillement dans les marches de la véranda avec mon chocolat chaud, pendant que les adultes lavent la vaisselle dans le vacarme. Le silence soudain m'apaise. Il n'y a que moi et le bruit lointain des vagues qui viennent frapper la berge. J'entends la porte s'ouvrir derrière moi. C'est ma tante Florence qui vient me rejoindre. Elle s'assoit à côté de moi en tenant son bol de café à deux mains, comme j'ai vu ma mère le faire tant de fois. Nous restons silencieuses pendant un moment, le regard perdu à l'horizon quelque part entre le ciel et la mer, le visage inondé du vent chaud qui nous vient du large.

Au bout d'un moment, je surmonte ma gêne et je réussis à murmurer :

— Merci de nous recueillir chez vous...

Je ravale la boule dans ma gorge. Je réalise tout à coup ce que je fais là... Pourquoi je suis là. Florence a dû le sentir, parce qu'elle m'entoure avec son bras et me serre contre elle.

— Ma belle Camille, chez nous c'est chez vous. *Truste*-moi, je sais ce que tu vis et maintenant que t'es à la maison, je laisserai pus jamais personne te faire de mal. OK?

Je ne connais rien de ma tante Florence, mais pour une raison que j'ignore, sa présence me rassure. Je pose ma tête sur elle et je verse quelques larmes en silence en essayant d'y croire. Pourvu que ce soit vrai.

○ Camille se réveille
○ C'est dimanche matin et il y a un buffet sur la table
○ Elle veut aller voir sa mère, mais Mams l'empêche
○ Sa mère à pleuré

○ Floronu réconforte Camille

– Six –

Tom Caissie remercia la jeune femme derrière le comptoir et saisit les deux cafés et la boîte en carton brune. En sortant, il aperçut deux adolescents rigoler en le voyant sortir de la pâtisserie. Il bomba le torse fièrement. Pour ceux qui ne le connaissaient pas, il était le stéréotype parfait du policier de banlieue qui se goinfre de beignes et de cafés en attendant un peu d'action. Même si elle se faisait rare dans le coin, il refusait de se laisser aller et faisait tout en son pouvoir pour se débarrasser cette image-là. Il avait même commencé à aller s'entraîner trois soirs par semaine pour essayer de perdre un peu de ventre. Si seulement les gens savaient à quoi il avait constamment affaire dans son travail, ils le regarderaient d'un autre œil. Le mythe demeurait. Il se sentit soudain idiot avec son café et sa boîte de beignes.

Aubin parlait au téléphone sur son portable, l'air sérieux, au-dessus de ses affaires. Caissie monta dans la voiture et tendit un café à l'inspecteur qui venait de raccrocher.

— C'était Karen au poste. La SQ a envoyé tout ce qu'ils ont.

— Puis?

— Ça se complique, notre affaire. Le père de la p'tite a un casier judiciaire bien rempli. Voies de fait, voies de fait graves, violence conjugale, pis j't'en passe. Y a eu plusieurs plaintes de faites au domicile pour trouble de l'ordre public, mais le père a toujours été relâché.

— T'as raison, ça regarde mal. La DPJ s'en est pas mêlée?

— Signalement, apparemment, mais rien de concluant.

— Lucas m'a rien dit sur le père. Maudit. J'aurais dû penser à y demander.

Aubin soupira en faisant démarrer la voiture.

— Si le père était pas dans le décor, y a des bonnes chances pour qu'on le voie réapparaître.

— C'est peut-être juste une fugue aussi.

L'inspecteur lança un regard à Caissie qui venait de prendre une énorme bouchée de beigne.

— Ton instinct te dit quoi, Tom?

Caissie réfléchit un moment. Il avait eu affaire plusieurs fois au cours de sa carrière à des maris violents. C'était toujours, pour lui, les appels les plus éprouvants. Souvent, par peur de représailles, les femmes de ceux-ci refusaient de porter plainte. Il se sentait toujours impuissant dans ces moments-là. Les cas étaient encore pires quand il y avait des enfants dans le décor.

— Rien de bon.

6 juillet

Mathis me tend un gobelet de carton qui semble contenir de la crème glacée.

— Tiens, goûte à ça! Triple chocolat… c'est écœurant!

Je prends une bouchée en m'extasiant. Mathis se met à rire. C'est en effet très bon, très sucré et très froid. Je laisse ma bouchée fondre sur ma langue en savourant chaque parfum. La chaleur semble avoir déjà diminué d'intensité.

— Dis-le pas à Mams, OK? Elle me tuerait si a' savait que je mange de la crème glacée avant le souper!

— Merci, Mathis.

Il sourit, satisfait, et s'assoit à côté de moi sur la table à pique-nique face à la plage. Le soleil est au summum de sa puissance. Pas moyen de trouver un coin d'ombre aux alentours. Heureusement, la brise qui nous vient de la mer apaise un peu nos souffrances.

Nous sommes partis à vélo après le dîner. Mathis m'a prêté son vélo et a chevauché celui de son père, un peu trop grand pour lui, mais il semblait content de pouvoir l'utiliser.

Il m'a montré tout ce qu'il y a à voir sur l'île où nous nous trouvons, ce qui, selon lui, n'est pas grand-chose. Le dépanneur, le snack-bar, l'église, l'école, l'épicerie, la poissonnerie, la plage municipale. Nous avons terminé notre périple au port. Un tout petit port avec des tonnes de petits bateaux.

« C'est des bateaux de pêche, ça, Camille. C'est avec ça que les pêcheurs vont dans la baie pour ramasser du homard ou pour pêcher le maquereau. Ils partent tôt le matin, avant que le soleil se lève, et ils vont ramasser les cages qu'ils ont mises au fond de l'eau la veille. Quand ils ont fini de faire le tour de leurs cages, ils reviennent icitte et c'est là que moi je les aide à *déloader* leurs prises. Le nôtre, c'est le p'tit blanc et rouge, là-bas au fond. Tu le vois ? Je t'emmènerai faire un tour, si tu veux. »

Impressionnée.

Il n'y a pas d'autre mot. Je suis impressionnée et envieuse. Pendant que moi je vivais ma vie plate et triste, Mathis, lui, a grandi ici, entouré d'endroits tous plus idylliques les uns que les autres. Pendant que moi je me cachais dans ma chambre pour fuir mon père, lui il venait travailler au port avec les pêcheurs, avec Lucas. Pendant que moi je vivais dans ma ville en béton, lui arpentait les rues de son petit village portuaire, son île au bout de l'Acadie, où tout le monde se connaît et se salue dans la rue.

Parce que tous les habitants de ce coin de pays semblent se connaître. Ça m'a frappée quand je me promenais à vélo avec Mathis tout à l'heure. « Bonjour, madame Landry ! C'est ma cousine Camille ! » ou bien « *Hey, mister Savoie, have a good day !* » J'avais plus l'impression de rencontrer des gens que de faire une visite des lieux. Chaque individu que nous croisions avait son histoire et Mathis était plus qu'excité de me les raconter, comme s'il s'agissait de secrets d'État.

« Ça, c'est la bonne femme Pinet. Je te conseille de pas t'approcher trop de son terrain sinon t'es faite. Elle va se mettre à te parler pis tu vas en avoir pour des heures à pas pouvoir partir. Elle s'ennuie beaucoup depuis que son mari y est mort. »

« Ça, c'est la maison des Doiron. Eux autres, y se pensent au-dessus de tout le monde parce qu'y parlent anglais pis que le bonhomme c'est genre un *big time* politicien à Miramichi. *Anyway*, c'est ça que mon père dit. Y ont deux enfants, Kevin pis Clara, mais ils vont à l'école à Caraquet. Kevin, y est smatte quand même. »

« Tu vois la fille là-bas ? C'est Katherine. Son père, c'est le pasteur de l'église de *presbytes* du comté. Tous les gars à l'école tripent sur elle. Mais pas moi… Est ben trop *mean*. »

« Ça, c'est l'auto de monsieur pis madame Gaudet. La moitié de toutes les entreprises de l'île leur appartient. C'est eux autres qui ont l'épicerie pis le pub au coin de la rue là-bas, pis y ont un *daycare* aussi. Tu peux pas rien faire icitte sans passer par eux, sont ben impliqués dans la communauté, avec le Club optimiste pis toute. Mams déteste la madame Gaudet, *starte*-la pas sur elle. »

« Ça, c'est Stephan. Lui, y est ben *weird*. Mon père dit que c'est un *goddam hippy*. Je sais pas ça veut dire quoi, mais *anyway*, le gars y habite tout seul dans une roulotte l'été, pis l'hiver y disparaît. C'est lui qui fait *runner* le ciné-parc à Sainte-Marie, ça fait que tout le monde l'aime ben pareil. Y s'promène partout avec son scooter. »

Chaque maison, chaque rue, chaque personne avait son histoire. Tant bien que mal, j'essayais d'assimiler toutes les informations que Mathis me refilait, mais il y en avait beaucoup trop. Sans oublier qu'une fois sur deux, je ne comprenais pas tout ce qu'il racontait à cause de sa manière de parler. Non seulement Mathis parlait le français avec un énorme accent acadien, mais en plus, on aurait dit qu'il mélangeait sans arrêt le français et l'anglais, comme si les deux langues ne faisaient qu'une seule. C'est charmant, mais tout de même déstabilisant. J'avais toujours trouvé que maman avait un petit accent, mais ça n'était rien en comparaison de celui de Mathis ou de Lucas.

« Mon père, y est anglophone, y vient de Fredericton, mais y est tombé carrément en amour avec ma mère quand y étaient à l'école ensemble à Moncton. Ça fait qu'y a appris le français. Mais y m'parle tout le temps en anglais, tu vas voir. Mams le reprend tout le temps, elle haït ça, l'anglais. »

Mais au-delà des gens, des commerces, ce sont les paysages que j'apprécie le plus. Tout est immense, ici, à perte de vue. Jamais de ma vie je n'ai vu autant de tons de vert, de bleu différents.

Une fois notre crème glacée terminée, nous chevauchons de nouveau nos vélos et Mathis prend les devants. Nous quittons le village et nous roulons longtemps sur une route déserte qui semble s'éterniser et s'enfoncer de plus en plus profondément dans la forêt. Quand je l'interroge, il me dit de ne pas m'en faire, que ça vaut le coup. Je lui fais confiance, mais j'ai chaud et je commence à être épuisée. Je n'ai pas l'habitude de pédaler aussi intensément.

Mathis tourne subitement sur un petit chemin de terre qui a l'air abandonné depuis des années. Nous nous enfonçons vers l'inconnu et je commence à trouver ça pénible de pédaler sur une surface aussi irrégulière. Puis tout à coup, la forêt semble s'élargir, disparaître, et devant moi, il n'y a plus que le bleu brillant de la mer qui s'étend à perte de vue. Au sommet de la petite dune sur laquelle nous nous arrêtons, nous découvrons à nos pieds une grande plage de sable blanc qui nous attend. Il n'y a personne ici. Que nous deux et le bruit des vagues qui s'écrasent en douceur sur le rivage. Je suis sans voix. Mathis me regarde avec un grand sourire pendant que je tente d'éponger la sueur qui coule le long de mon visage.

— C'est beau, hein?

— C'est magnifique!

— Avant, c'était la plage municipale. Mais depuis qu'ils ont aménagé celle de Miscou, ils ont fermé celle-là. Mais moi, je préfère encore venir ici. Il y a jamais personne ici. Tout ça, Camille… tout ça, c'est à nous!

Mathis laisse tomber son vélo et descend la dune. En un éclair, il a envoyé son sac à dos sur le sable, il a enlevé son t-shirt, ses souliers et son short. Je le vois courir vers la mer en sous-vêtement. Il lance un grand cri de victoire en atteignant l'eau. Je l'entends rire aux éclats, au loin, il me crie de venir le rejoindre. J'hésite un instant, mais la chaleur l'emporte sur ma raison. Je laisse tomber mon vélo moi aussi et je me débarrasse de mes vêtements le plus vite possible. Je réalise soudainement que je suis presque nue devant lui, je ne porte que ma petite culotte et ma camisole. Mais il ne me regarde pas. Il est trop occupé à plonger dans l'eau, à en ressortir en riant. Il nage ici et là pendant que je m'approche.

La chaleur de l'eau me surprend. J'y entre avec facilité, et en moins de temps qu'il n'en

faut pour le dire, je suis complètement im-
mergée. Mon corps est parcouru par un frisson
de plaisir. Au fond de l'eau, j'aperçois mes
pieds se fondre dans le sable. En léchant mes
lèvres, je goûte le sel de la mer. C'est bizarre.
Le vent vient caresser mon visage humide. Il
est frais et doux. Ça me rafraîchit. Au-dessus
de nous, le ciel est si bleu que si je le regarde
trop longtemps, ça m'aveugle. Je suis bien.

Mathis vient me rejoindre à la nage. Il me
regarde droit dans les yeux en silence. Les
siens sont verts, éclatants. Presque gris. Bleus.
Il lève sa main vers moi.

— Ça, Camille, il faut pas le dire, *all right*?
C'est notre petit secret à nous deux. Notre
plage.

J'acquiesce et je mets ma main dans la
sienne. Nous scellons notre promesse en
nous serrant la main. Je voudrais ne jamais
quitter la mer, me laisser bercer par ses vagues
éternellement. C'est un moment parfait,
en parfaite compagnie. Je ne connais pas
vraiment Mathis, je ne sais rien de lui. Mais je
me sens en sécurité à ses côtés, rien ne peut
m'arriver.

Je m'étends sur le sable chaud à côté
de Mathis qui fouille frénétiquement dans
son sac à dos. La sensation du soleil sur ma
peau mouillée est agréable. Ça me remplit
de chaleur et en fermant les yeux, j'ai
l'impression de ne faire qu'une avec la nature

qui m'entoure. Le silence est hallucinant, réparateur. C'est la première fois que je ressens un pareil silence, jusqu'au fond de moi. Mathis me tend une bouteille d'eau que j'accepte avec plaisir. Je me redresse sur mes coudes. J'ai une soif terrible. Je ne m'en étais pas rendu compte. Je lui en laisse un peu, par politesse. Je lui redonne la bouteille et il la vide d'une gorgée.

— Qu'est-ce qui est arrivé à tes jambes? C'est ton père qui t'a fait ça?

Tout s'écroule. Tout s'efface. Tout me revient d'un coup et je réalise que j'ai baissé ma garde. J'étais tellement éblouie par toute cette nouveauté, toute cette beauté, que j'ai presque oublié, pendant un instant, la raison pour laquelle je suis ici. Papa. Je me lève d'un coup. Je sens le sang envahir mes joues, je voudrais m'enfoncer dans la plage, cacher mes jambes pour qu'il arrête de les regarder.

— Ça? Non, c'est un accident quand j'étais petite.

Je me dirige vers mes vêtements. Je veux rentrer. Je ne veux plus être là. Je ne veux pas lui parler. J'ai honte. Mathis se lève d'un bond et me rattrape en quelques pas à peine.

— Hé, Camille, je voulais pas te rendre mal à l'aise. Je pense jamais avant de parler. Mams dit tout le temps que j'ai pas d'filtre. Je m'excuse.

Il essaie de m'arrêter, de croiser mon regard, mais je détourne les yeux. Je ne veux pas qu'il voie qu'ils sont pleins d'eau. Même ici, ça va toujours me rattraper. Je ne suis à l'abri nulle part.

— On devrait rentrer, que je lui dis. Ma mère va s'inquiéter.

Nous nous habillons sans rien dire. Je vois bien qu'il se sent mal, mais je n'arrive pas à parler. J'ai peur de me mettre à pleurer si je prononce un seul mot. Je ne veux pas qu'il pense que je suis une braillarde. J'ai envie qu'il me trouve aussi cool que moi je le trouve cool. Je l'aime bien, mon cousin. Même s'il ne pense pas avant de parler. Nous reprenons la route, chacun sur son vélo. Le soleil semble moins chaud, la chaleur est moins lourde. J'accueille le vent frais sur mon visage avec soulagement et je laisse mes jambes pédaler d'elles-mêmes. Mathis roule à mes côtés, en regardant droit devant lui. Il semble aussi perdu dans ses pensées que moi. Ça me plaît.

Arrivée à la hauteur de la maison, je m'arrête et je descends de mon vélo. Mathis m'imite, sans trop savoir pourquoi. Je regarde la maison, les dunes, la mer, le soleil au loin, perdu dans l'horizon. C'est très beau, c'est spectaculaire. Depuis la veille, je ne cesse de me pincer pour être sûre que je ne rêve pas, que je suis vraiment là. Je n'arrive toujours pas à y croire, à réaliser que tout ceci fait désormais partie de ma vie. Nous ne sommes là que depuis vingt-quatre heures à peine, et déjà, j'ai l'impression que plus jamais je ne pourrais quitter cet endroit. Mathis pose une main sur mon épaule et me demande si ça va. Je hoche la tête pour le réconforter et nos regards se croisent pendant une seconde. J'hésite entre me mettre à pleurer ou à rire, je ne sais pas si je suis complètement heureuse ou complètement triste.

Nous descendons le terrain à pied, à côté de nos vélos. Je repense à notre plage, à notre promesse de ne rien dire. Pourtant, je n'ai qu'une seule envie : courir tout raconter à maman. Je voudrais pouvoir l'emmener là-bas, lui montrer la beauté qu'elle manque, qu'elle a manquée durant toutes ces années. La réconforter. La convaincre que nous avons bien fait de partir.

En marchant, je remarque au loin une petite maison sur le bord d'un ravin plongeant vers la mer. Elle a l'air en piteux état, presque abandonnée. Je ne l'avais pas remarquée avant. Je la désigne du doigt en demandant à Mathis qui habite là.

— Là ? *God!* Personne. Depuis que je suis petit que personne n'habite là. Tout le monde dit qu'elle est hantée, c'te maison-là. J'ai des amis qui ont essayé d'y aller à l'Halloween il y a quelques années, et ils ont eu la chienne de leur vie. Perso, moi, je me tiens loin de là.

Hantée ? Je n'ose pas le contredire. Je ne sais pas trop s'il rit de moi ou s'il croit vraiment ce qu'il vient de dire. Je ne crois pas aux fantômes, ça ne me fait pas peur, ces choses-là. Je sais qu'il y a pire dans ce monde…

- Mathis lui fait visiter la ville
- Ils vont à une plage et se baigne
- Elle ne cache pas les blessure qu'elle a et est malaise qu'elle donc veut rentrer

– Sept –

Pédaler. Pédaler jusqu'à en perdre le souffle. Face au vent, Mathis redoublait d'efforts pour avancer le plus vite possible, même si ça voulait dire que ses poumons devaient se déchirer à chaque respiration. Il pouvait sentir la sueur couler le long de son dos, son cœur battre la chamade en écho dans son crâne. Il s'en foutait. Il y avait un endroit où il n'avait pas été voir si Camille se trouvait, parce que, sur le coup, ça lui paraissait improbable. Il s'était contenté de faire le tour des endroits communs de l'île, du village. Mais quelque chose à la vue de son cahier entre les mains de sa tante Caroline avait éveillé en lui un doute. Un mince espoir.

Tenaillé par la peur, par la peine, il roulait à toute vitesse au milieu de la route déserte. Il avait atteint cet état de grâce où ses jambes pédalaient par elles-mêmes, où son corps et son esprit étaient devenus deux entités à part entière. Pendant que son physique s'activait, son esprit se mouvait dans tous les sens.

Il tourna sur le petit chemin de terre si vite qu'il faillit tomber à la renverse. Quand son vélo se déroba sous lui, il sauta à pieds joints sur le sol et se mit à courir en un élan, comme pour ne pas s'arrêter. Il gravit la dune avec une facilité désarmante, impatient de voir la plage s'allonger devant lui. Lorsqu'il fut au sommet, il s'arrêta sec et se laissa tomber par terre dans le sable frais.

Personne. Elle n'était pas là. L'endroit était aussi désert que d'habitude. Il avait cru que, peut-être, elle reviendrait ici. C'était leur endroit préféré, leur plage secrète. Ils étaient venus s'y baigner tout l'été. Elle n'arrêtait pas de lui dire qu'elle pourrait passer sa vie ici, loin de tout. Elle disait que le silence ici était différent des autres, qu'il était plus apaisant. Il l'avait déjà retrouvée là avant, seule en train d'écrire ses états d'âme dans son cahier. Elle était triste, Camille, tout le temps.

Mais elle n'était pas là, cette fois.

« *Fuck*, Camille… Qu'est-ce que tu m'fais ? »

o Ils se rend à vélo à la plage pour voir si Camille y est (Mathis)

9 juillet

L'air qui pénètre dans mes poumons est si frais, si pur, que j'ai l'impression d'avaler la mer chaque fois que je respire. Le vent fait voler mes cheveux dans tous les sens et je ferme les yeux, savourant chaque nouvelle sensation qui s'offre à moi. Le soleil est chaud, mais je frissonne. Je vois la terre s'éloigner petit à petit, loin là-bas. Je peux presque sentir le vide sous mes pieds, une immensité d'eau salée. Le ronronnement du bateau diminue et Mathis éteint le moteur. Ça donne un petit choc et je perds un peu l'équilibre. J'ai toujours l'impression qu'on bouge, mais nous sommes désormais à l'arrêt et la petite embarcation se balance, de gauche à droite, au rythme des vagues qui viennent danser autour de nous.

Mathis sort de la minuscule cabine et vient me rejoindre sur le pont. J'ai toujours les deux mains bien accrochées au bord du bateau, je n'arrive pas à les enlever de là. Je regarde Mathis, les yeux grand ouverts. Je souris tellement que les muscles de mes joues commencent à faire mal. Je me sens loin.

Plus loin que je n'ai jamais été. Nous sommes seuls au milieu du golfe, entourés par la mer calme qui nous renvoie les rayons du soleil en milliers de petites étoiles. C'est comme si nous étions entourés de diamants. Mathis prend une grande respiration. Il a l'air aussi heureux que moi. Nous restons immobiles à écouter le silence.

Je n'arrive pas à croire que mon oncle Lucas nous a permis de prendre le bateau seuls. *Just stay near enough from the shore so I can see you from the house.* Il doit avoir une confiance énorme en Mathis pour le laisser faire. Mon père ne me confierait jamais quelque chose comme ça. Mon père...

Je pense à mon père. Je suis inquiète pour lui. Je sais que je ne devrais pas, mais le savoir seul dans notre appartement, sans maman et moi pour lui préparer ses repas, pour le contrôler, ça me met toute à l'envers. J'espère qu'il ne lui est rien arrivé, qu'il ne boit pas trop. J'espère qu'il n'est pas trop fâché. Je voudrais l'appeler, juste pour le rassurer, mais je ne crois pas que ce soit envisageable avec Mams. Et puis maman qui n'arrête pas de pleurer.

— Tu veux pêcher? me demande Mathis.

Je sursaute, comme si j'avais oublié qu'il était là. Je hausse les épaules. L'idée de pêcher le maquereau, qui m'avait emballée quelques heures plus tôt, me semble désormais sans intérêt. Je suis contente d'être là, mais quelque chose dans le bonheur de Mathis, dans la facilité qu'il a de vivre aussi simplement, me rend profondément triste. C'est un drôle de mélange d'émotions. Je me demande comment on peut être heureuse et malheureuse en même temps.

— Je sais pas trop.

Il semble soulagé.

— Ah! Tant mieux, ça ne me tentait plus tant que ça, moi non plus. On fera ça une autre fois.

Je n'arrive pas à détacher mes yeux de l'horizon. J'ai l'impression que tout ce bleu va m'avaler, m'emmener avec lui dans le nulle part. Mathis retourne dans la cabine et me laisse seule quelques secondes. Je voudrais sauter à l'eau, sentir l'océan froid se percuter contre mon corps, s'imprégner dans mes os et me laisser couler jusqu'au fond. Ne plus me sentir comme ça. Je chasse l'image quand Mathis revient. Il me tend une bouteille d'orangeade en vitre, comme on en voit dans les films. Elle est tellement froide qu'elle est recouverte de condensation. Je prends une grande gorgée et je laisse les bulles chatouiller mon palais. C'est tellement bon. Il n'y a jamais de boissons gazeuses chez nous. Il n'y a jamais rien chez nous.

Nous nous assoyons sur le pont, laissant le bateau se balancer au rythme de la mer.

J'ai envie de lui parler, de le rassurer. Depuis mon arrivée qu'il se plie en quatre pour me faire plaisir, pour me divertir, et j'ai tout le temps l'impression de le décevoir. Je voudrais qu'il comprenne que malgré mon attitude, ça compte beaucoup pour moi, ce qu'il fait. Mais, malgré les apparences, je ne suis pas ici en vacances. Je suis une réfugiée, une fugitive. Je me sens seule.

— Tu avais raison, tu sais… c'est mon père qui m'a fait ça. Sur mes jambes, je veux dire.

Je retiens mon souffle. Même si je voulais, je ne serais pas capable de respirer. Je n'arrive pas à croire que j'ai dit ça. Que ça sort de ma bouche. Mathis ne bronche pas. Il regarde droit devant lui, l'air perdu dans ses pensées. Et soudainement, je lui parle. Ça coule, c'est comme un flot de paroles que je ne contrôle pas.

— En fait, je sais pas trop, pas complètement, parce que je m'en souviens pas. Ma mère continue de me dire que c'est pas vrai. Mais moi je suis sûre que c'est lui. Il a dû me faire ça dans une de ses crises. Il devait avoir bu. Je sais pas. C'est pas vraiment le genre de chose que je peux lui demander…

Mathis me regarde, les yeux grand ouverts. Il a l'air sous le choc de ce que je viens de lui dire. Moi, je tremble en m'accrochant à ma bouteille d'orangeade. Je me sens mieux de le lui avoir dit. Ça me fait du bien. Je n'ai jamais parlé de ça à personne avant. Il pose sa main sur mon genou.

— Camille…

— C'est correct. Tu le sais déjà, de toute manière. Ça sert à rien de faire semblant que ça existe pas. Je suis tannée de faire semblant.

— C'est pour ça que vous êtes là, hein ? Ma mère a pas voulu rien me dire.

— On s'est sauvées… en pleine nuit, comme des voleuses. Mais il fait pas exprès, tu sais, il est pas tout le temps méchant. C'est juste que, quand il boit, il devient quelqu'un d'autre.

— Pis il boit souvent ?

Au moment de lui répondre, aucun son ne sort. Je referme la bouche en réalisant que la réponse me fait peur. Il boit tout le temps. Je n'arrive pas à le dire. Je ne veux pas que Mathis pense que mon père est un monstre, c'est plus fort que moi. Et pourtant, je sais que c'est vrai. J'y suis tellement habituée, que je commence à le défendre autant que maman. C'est inavouable.

— T'es pas obligée de me dire tout ça, Camille. Mais tu peux être certaine que tout ce qui se dit ici, sur la mer, ça reste au large. Ici, y a rien qui peut nous toucher, y a rien qui peut nous faire mal. C'est notre monde juste à nous deux…

Notre monde. Je lui souris timidement. Je suis contente qu'il soit là, contente de le connaître. Ici, nous pouvons parler librement. Nos paroles n'appartiennent à personne, nul ne peut les entendre. Mathis se lève et retourne dans la cabine pour faire partir le moteur. Nous rentrons au port. Je reste là, assise sur le pont, ma bouteille à la main, à trembler en silence. Mais je suis plus calme, presque soulagée. Je sais maintenant qu'il existe un endroit au monde où rien d'autre n'existe, où je peux tout dire, tout lui confier. Mes secrets partiront vers l'horizon, se perdront dans le bleu infini. Ce sera notre monde, notre nulle part. Je voudrais n'avoir jamais à retourner sur la terre ferme.

Je vois la côte se rapprocher. Au loin, la maison familiale se dresse fièrement, solide et belle. Sur la dune, j'aperçois la silhouette de mon oncle Lucas qui nous envoie la main. Je lui rends son salut. Désormais, j'appartiens à quelque part. Ça me fait du bien de le savoir.

- ils vont faire un tour de bateau
- Elle a dit a Mathis d'où viennent les blessures qu'elle a au jambe
- C'est son père qui les lui a faits

– Huit –

Caroline dévisagea le policier assis devant elle.
Qu'est-ce qu'il voulait dire? Est-ce qu'il était
en train de l'accuser, elle, de la disparition
de sa fille? Pendant un instant, elle eut envie
de lui cracher au visage, de passer par-dessus
la table et de lui arracher la tête. Sa fille, sa
Camille manquait à l'appel, et lui, ce grand
niaiseux là, osait lui adresser la parole sur un
ton désapprobateur.

Florence vint calmer les esprits en offrant
quelque chose à boire aux policiers. Ils
acceptèrent tous les deux un bon café chaud,
deux sucres pour l'un, noir pour l'autre. Ils
étaient arrivés comme un cheveu sur la soupe
quelques minutes plus tôt et tentaient, depuis,
de reconstituer les derniers événements avant
que Camille ne disparaisse. Mais Caroline
n'avait pas envie de leur en parler, elle ne
voulait pas tout leur dire. Comment pourrait-
elle? Avec quels mots? Elle n'arrivait même
pas à se l'expliquer à elle-même.

Mams entra dans la salle à manger et alluma
la lumière. Le temps était à l'orage et la
maison semblait être plongée dans le soir,

malgré le début de l'après-midi. Elle tenait dans ses mains quelques photos qu'elle tendit au plus gros des messieurs.

— Ce ne sont pas les plus récentes, mais j'en ai sans doute quelques-unes dans mon appareil. Caroline, tu veux bien aller chercher ma sacoche, s'il te plaît?

Celle-ci grimaça et sortit de la pièce. Elle était en colère, sans savoir pourquoi. Chaque nouvelle page du journal de Camille la dépeignait de façon si crue, si honnête. Jamais elle n'aurait pensé être aussi faible aux yeux de sa propre fille. Jamais elle n'aurait pensé que ça l'ébranlerait à ce point. Et pourtant, elle avait raison. Tout ce qu'elle avait écrit, tout ce qu'elle pensait. Mais il y avait des choses que Camille ne savait pas, qu'elle ne pouvait pas comprendre. Qu'elle ne comprendrait pas. Et cette saleté de policier qui lui parlait comme si elle était une enfant malade.

— Ça va nous prendre aussi une photo du père.

Florence et Mams s'échangèrent un regard, ne sachant trop quoi dire. Caroline avait sans doute cela dans ses affaires. Mais comment le lui demander sans qu'elle se mette sur la défensive? La dernière chose que Mams voulait était de créer toute une scène devant les deux agents qui étaient là pour les aider.

— J'ai bien peur, mon bon monsieur, que nous n'en ayons pas. Mais je vais voir ce que je peux faire et je vous ferai parvenir ça le plus tôt possible.

— Vous n'en avez pas ?

— Disons que… il n'est pas le bienvenu dans cette maison.

Le policier fixa Mams quelques instants et hocha la tête en signe de compréhension. Caroline revint avec un grand sac qu'elle déposa sur la table et alla rejoindre sa sœur près du cadre de porte. Elle n'avait pas envie de se rasseoir avec eux. Elle préférait de loin laisser sa mère s'occuper de tout ça. Elle avait toujours su gérer ces choses-là, sa mère.

Mams sortit son appareil photo de son sac et remit la petite carte-mémoire aux policiers en prenant bien soin d'insister sur le fait qu'elle tenait à la ravoir. S'il était arrivé quoi que ce soit à Camille, ces photos redoubleraient d'importance à ses yeux. Ça, elle n'osa pas le dire. Mais plus la journée avançait, plus elle était morte d'inquiétude. Et Mathis qui ne revenait pas.

— Donc, c'est quand la dernière fois que vous l'avez vue ?

Mams regarda Florence et lui fit un petit signe de tête. Celle-ci se redressa et prit Caroline par les épaules. « Viens, on va aller s'asseoir dehors pendant que maman jase avec les policiers. » Elle ne se fit pas prier et suivit sa sœur d'un pas décidé. Sortir de la maison, respirer mieux. Elle détestait devoir parler aux forces de l'ordre. Ça lui rappelait trop de mauvais souvenirs. La simple vue de l'uniforme emplissait sa bouche de l'arrière-goût métallique du sang. Trop de fois elle avait dû s'expliquer, se justifier. Trop de fois elle avait dû supplier, marchander. Ils la regardaient tous de la même manière, comme si elle faisait pitié. Ils ne pouvaient pas comprendre. Personne ne le pouvait.

Sous le regard désapprobateur de Florence, elle s'alluma une cigarette en tremblotant et reprit le cahier de Camille qu'elle avait dissimulé sous la couverture. Mais que pouvait bien faire Mathis ? Ça allait faire bientôt une heure qu'il était parti.

- Les policiers sont à la maison et Caroline ne les aime pas
- Ils demandent des photos de Camille et son père
- Caroline dit que personne ne pouvait comprendre
- Mathis n'est pas encore revenu

12 juillet

Dans la fourgonnette de mon oncle Lucas, il y a du rock qui joue à tue-tête. Mams, qui est assise à côté de moi, semble exaspérée par la musique, tandis que Mathis et son père chantent à pleins poumons en avant. Ils connaissent toutes les paroles par cœur. Je souris à ma grand-mère qui lève les yeux au ciel, mais qui ne dit rien. Elle a l'air habituée.

Nous avons laissé ma mère et ma tante Florence seules à la maison. Je crois qu'elle va essayer de parler un peu à ma mère, du moins je l'espère. Parce que moi, j'en suis incapable. Toutes les fois que j'ai essayé, maman a fini en sanglots dans mes bras. Mams a bien tenté de faire quelque chose, mais, comme elle me l'a si bien dit hier en me bordant, elle n'a aucun tact. *Tu sais, Camille, ta mère et moi, on a toujours eu de la difficulté à s'entendre. Nous nous aimons. Beaucoup. Mais parfois, ce n'est pas suffisant.* Elle m'a dit tout cela d'un air triste. Je lui ai dit que je comprenais. J'ai eu envie de l'interroger, de lui demander pourquoi elles s'étaient brouillées toutes les deux quand j'étais petite. Mais je me suis retenue. D'une certaine manière, je ne veux pas vraiment le savoir. D'un autre côté, au fond de moi-même, je connais déjà la réponse. C'est à cause de mon père…

Nous allons à Bathurst. C'est loin. Mais c'est le seul endroit à des kilomètres à la ronde où il y a un centre commercial. Un vrai, avec des magasins à grande surface. Mams se serait contentée d'aller à Caraquet, mais Lucas a insisté pour que nous fassions le trajet. Ça laissera le temps à Florence de bien discuter avec maman. Elles ne se sont pas retrouvées seules ensemble depuis bien des années. Je ne m'en plains pas. J'adore voir la route défiler, sentir le vent chaud sur mon visage. Les paysages, ici, sont tous plus beaux les uns que les autres. Il y a de l'espace, tout semble grand, à perte de vue. Chaque maison, chaque route a une histoire. Nous longeons la baie des Chaleurs, je la vois de temps à autre au loin. Parfois, la route s'ouvre sur le large et je m'émerveille devant les grandes falaises qui ornent la côte. J'ai l'impression d'être dans un autre temps, à une autre époque.

Mathis me lance des regards amusés de la banquette avant. Il ne m'a pas reparlé de ce que je lui avais dit sur le bateau. Tant mieux. Je ne sais pas ce qui m'a prise. Je n'aurais pas dû lui dire ça. C'est sans doute l'air salin qui m'a monté à la tête, ou la sensation d'être inatteignable. Mais aussitôt que nous avons accosté, je l'ai regretté. Je ne veux pas qu'il me prenne en pitié ou qu'il pense que je suis une pauvre petite fille malchanceuse. Depuis que je suis ici, c'est plutôt un immense bonheur qui m'habite. Je suis contente de pouvoir enfin côtoyer ma famille. Contente de savoir que quelqu'un, quelque part, comme Mathis, me ressemble. « C'est le même sang qui coule dans nos veines, Camille, tu t'en rends compte ? C'est un lien fort, ça », m'a-t-il dit l'autre jour. J'y crois. Et j'aime ça. Ça me rassure.

Mams me traîne dans les allées du magasin et me propose un millier de vêtements. Ils ne me plaisent pas tous, mais je veux bien les essayer pour lui faire plaisir. Elle semble insister pour m'acheter du linge. J'ai beau lui dire que les quelques morceaux que j'ai me satisfont, elle ne veut rien entendre. *Il te faut un maillot de bain aussi, et un manteau convenable pour les journées fraîches, et des bons souliers, tu ne peux pas te promener tout l'été avec ces vieilles chaussures !* Elle est comme en transe. Tout ce qu'elle trouve beau, elle le fourre dans le panier pour que je l'essaie. Si ça continue, elle va me faire essayer le rayon pour enfants au grand complet !

À travers mes cheveux en broussaille, je regarde la petite fille avec la robe bleue qui me dévisage dans le miroir. Elle n'a rien de celle que je connais. Elle a l'air d'une petite princesse. Elle a l'air heureuse. Je sors de la cabine pour montrer le résultat à Mams. Elle soupire de bonheur. J'oublie presque les marques sur mes jambes. J'oublie qui je suis et je la laisse complimenter le résultat. Cette robe-là ira directement dans la pile des pour. Je referme la porte de la cabine d'essayage en reprenant mon souffle. Je dois m'asseoir quelques instants pour assimiler l'étrange sentiment qui vient de s'installer dans mon bas-ventre. Un petit chatouillement qui me donne l'étrange envie de pleurer. C'est une forme de tristesse que je n'ai jamais ressentie avant, comme une bizarre sensation de triomphe qui remplit mon corps de frissons.

Les mains remplies de sacs, nous rejoignons Mathis et Lucas dans l'aire des restaurants. Mon cousin me fait un clin d'œil, impressionné de voir notre grand-mère transporter autant d'achats.

« *Holy Cow !* Avez-vous dévalisé le magasin ? » s'exclame mon oncle en riant.

Je vole quelques frites à Mathis pendant que Mams déguste son café. Je n'ai pas très faim. Je suis trop comblée par les cadeaux que je viens de recevoir, il ne reste plus de place dans mon estomac pour autre chose que du bonheur. Je me sens mal à l'aise en même temps. Personne ne m'a jamais gâtée ainsi. Je suis contente, mais je n'arrive pas à m'approprier l'impression complètement. Je pense à ma mère, à sa peine. Je pense à mon père qui serait sans doute fou de rage de me voir dépenser autant d'argent. Nous n'avons jamais été très riches, je le sais. La plupart des vêtements que je possède viennent soit des centres d'entraide, soit de ma mère. Papa déteste les achats inutiles, surtout lorsqu'il ne s'agit pas des siens. Ça me fâche. Je réalise que je n'arrive même pas à me souvenir de la dernière fois que j'ai reçu un vêtement neuf.

Mathis me dévisage et me donne un petit coup de pied sous la table. Il m'interroge du regard comme pour me demander ce que j'ai tout à coup. J'efface mes pensées et je lui souris. Ça ira. Je dois juste m'habituer, j'imagine. Ça me rassure de l'avoir là, tout près, à s'en faire pour moi. Si j'avais un grand frère, je voudrais qu'il soit exactement comme lui. La vie serait plus simple, on dirait.

Nous retournons vers la fourgonnette de Lucas. Il fait beau, chaud, mais le fond de l'air est juste assez frais pour rendre l'été supportable. Il n'y a jamais de vent comme ça en ville. Ici, la brise semble transporter avec elle tout l'air du large, toutes les odeurs, et elle gonfle mes poumons de bien-être. Pendant que Lucas transfère nos achats du panier au coffre, je lève le visage vers le soleil, les yeux clos, et je m'imprègne du moment. Je ne veux jamais l'oublier. Je veux qu'il reste avec moi pour toujours.

Je me fige. Ce camion, le camion là-bas qui vient de se stationner… C'est le camion de mon père. J'en suis persuadée. Je ferme les yeux. Quand je les ouvre, il n'est plus là. Je regarde autour, j'essaie de le retrouver. Rien. Ma tête me joue des tours. C'est sûrement ça. Il ne peut pas être ici. C'est impossible.

« On devrait aller voir un film, ce soir, tous ensemble. Ça risque d'être la soirée idéale pour ça, qu'est-ce que vous en pensez ? » nous demande Lucas.

Je sursaute. Tout le monde me regarde bizarrement. Je hoche la tête pendant que Mathis saute sur place, excité. Mams lève les yeux vers le ciel et prend place à l'avant de la fourgonnette, indifférente. Le chemin du retour se fait dans le calme plat. Mams a arrêté son choix sur un poste de radio qui diffuse une musique country douce sur laquelle elle oscille entre le sommeil et la conscience. Mathis, plongé dans la bande dessinée que son père lui a achetée, ne me prête plus aucune attention. C'est comme si son récit l'avait avalé. Moi, je me perds dans le paysage, sans vraiment le voir. J'ai la tête remplie d'images, de mon père, de ma mère, de mes nouveaux vêtements. De cette vie qui ne me ressemble pas. Je me demande dans quel état nous allons retrouver maman, si Florence a réussi à lui parler convenablement. Je repense à son visage dans la voiture pendant que nous roulions vers ici, à son sourire. Je ne l'avais jamais vue comme ça. Je voudrais pouvoir l'aider. Mais je ne sais pas comment. Tout ce que je sais, c'est que je ne veux pas retourner en ville. Je commence à peine à respirer normalement.

Lucas stationne la fourgonnette près de la maison. Nous en sortons en silence, soudainement épuisés par cette journée. C'est incroyable comme ne pas faire grand-chose peut prendre autant d'énergie. Je songe à mon lit, là-haut, au grenier, et j'ai envie d'aller m'y étendre, de disparaître dans l'odeur des couvertures, dans la brise fraîche qui vient du large.

Ma tante sort sur la véranda pour nous accueillir. Elle me sourit en resserrant son châle autour de sa taille, les bras entrecroisés. Je lui demande où est ma mère, en appréhendant la réponse. Elle me fait un petit signe de tête. En me retournant, je la vois immédiatement au loin, sur la rive. Je dépose mes sacs sur la véranda, je prends mon courage à deux mains et je me dirige vers la plage. Baignée de soleil, maman a l'air d'un ange avec sa longue robe blanche, ses cheveux blonds dans le vent. Elle ne me voit pas venir, elle ne m'entend pas non plus. Elle regarde l'horizon.

Je me glisse à son côté tranquillement, n'osant pas briser le silence. Il vente toujours plus sur le bord de l'eau, je ne sais pas pourquoi. J'observe ma mère discrètement.

Elle ne me regarde pas, mais me fait un petit sourire en coin. Ses yeux sont rouges, mais ils ont l'air secs. Elle ne pleure pas. Elle ne fait que fixer son regard devant elle. Son corps est là, mais ses pensées sont loin, sûrement à la même place que les miennes… Je l'enlace et je m'imprègne de son odeur. Il faut qu'elle ressente tout l'amour que j'ai pour elle, que ça la guérisse. Elle pose sa main sur mon épaule et me renvoie mon étreinte en soupirant.

— C'est tellement beau, tu trouves pas?

Sa voix est presque un murmure, mais je l'entends résonner dans sa poitrine chaude. C'est vrai que c'est beau. Mais je ne sais pas quoi répondre. Je continue de la serrer dans mes bras, de m'accrocher à elle. Je voudrais lui dire que je la comprends, que j'approuve notre fugue, que j'aime notre famille et que je me plais ici. Je voudrais lui dire de ne pas s'en faire, que la peur finira par s'estomper. Mais j'en suis incapable. Pour ça, il faudrait d'abord que je m'en convainque moi-même.

Je me contente de rester là, dans ses bras, dans le tourbillon du vent. Et je me perds avec elle dans la beauté du paysage.

- ils vont au centre commercial qui est loin
- Caroline et Florence sont seuls à la maison
- Elle regrette d'avoir dit ... à Mathio sur le bateau
- Elle croit appercevoir son père →

– Neuf –

Lucas arrêta le moteur de la fourgonnette et prit une grande respiration. Il n'avait que peu dormi depuis la veille. Il s'en faisait beaucoup pour Camille. En si peu de temps, la petite avait réussi à se tailler une place au sein de leur famille. Leur univers avait été complètement chamboulé par leur arrivée, mais il ne regrettait pas une seconde de les avoir accueillies. Il savait que, par le passé, les deux sœurs avaient eu leurs différends, et que sa femme ne ferait jamais totalement confiance à Caroline, malgré toute sa bonne volonté. Les blessures étaient trop profondes, elles n'avaient jamais cicatrisé complètement. Mais la famille, c'est la famille, et d'où Lucas venait, c'était le plus important. Il aurait été inconcevable pour lui de les chasser sans autre forme de procès. Ne serait-ce que pour Camille.

Lucas n'était pas dupe. Il connaissait les circonstances qui avaient fait en sorte que Caroline coupe les ponts avec sa mère et sa sœur. Il savait quel genre de vie elle avait pu mener en ville, dans son Québec si cher à ses yeux. Mais il avait appris avec les années à ne pas juger ce qu'il ne connaissait pas. Il n'avait vu François qu'une seule fois et n'avait pas du tout été impressionné. Mais l'amour a de drôles de manières de fonctionner, parfois, et tant que Caroline voudrait rester avec lui, il ne servait à rien d'essayer de l'en empêcher. Il ne pouvait qu'être là pour elle le jour où elle en aurait assez. Et ce jour-là était venu. C'est pour Camille que Lucas se réjouissait le plus. Elle semblait avoir souffert plus que sa mère de la situation. Bien qu'elle fût polie et aimable, il y avait au fond de ses yeux une tristesse qui ne devrait pas exister dans les yeux des enfants et des adolescents. Une maturité, une vision de la vie auxquelles elle aurait dû être soustraite. Personne ne mérite de vivre une telle violence au quotidien, encore moins ceux qui ne l'ont pas choisie. Encore là, Lucas ne pouvait que supposer. Tout ce qu'il savait, il le tenait de la bouche de sa femme et de sa belle-mère et, bien qu'il leur fasse entièrement confiance, la vérité prend souvent bien des détours dans la bouche de ceux qui la disent.

Il essuya la sueur qui perlait sur son front. La journée était particulièrement chaude et humide pour la saison. On voyait généralement ce genre de dépressions au début de l'été, quand les pêches commençaient. Au loin, il pouvait voir clairement le ciel se couvrir, comme une immense mer noire qui avançait tranquillement vers lui. Il descendit de la fourgonnette. Ses jambes le faisaient souffrir. Un dernier arrêt, et il rentrerait à la maison. Il aurait voulu la trouver, que quelqu'un lui dise qu'il l'avait vue errer dans les rues de la ville. Mais rien. Personne n'avait aperçu Camille à des kilomètres à la ronde, pas depuis la veille. Au moins, toute la péninsule était maintenant sur le qui-vive.

Lucas jeta un coup d'œil à son téléphone portable. Aucun appel manqué. Il aurait presque voulu que ce soit le cas, que Florence ait tenté de le joindre pour lui dire de rentrer, que Camille était revenue. Chaque minute de son absence ne faisait qu'empirer les scénarios horribles qu'il se jouait dans la tête. Peu importe comment tout ça finirait, Caroline devrait répondre à certaines questions. Son mutisme était frustrant, voire louche. Il savait bien qu'elle ne disait pas tout. Son corps tout entier dévoilait la vérité au grand jour. Mais ce n'était pas son rôle de lui tirer les vers du nez. Mams s'en chargerait bien assez tôt. Du moins, il l'espérait.

Il se dirigea vers le *diner*. Il leur rapporterait un poulet rôti, quelque chose de bon et de réconfortant. Mams n'était sûrement pas en état de cuisiner et il voulait épargner à sa femme de devoir le faire. Elle ne cuisinait pas mal, elle voulait bien faire, mais le stress de la journée la rendait hyperactive et elle méritait de prendre une pause. Il espérait aussi y croiser Stephan, le propriétaire du ciné-parc. Il n'aimait pas particulièrement ce dernier, mais il savait que pendant le jour, il parcourait tout le temps la côte pour ramasser les choux gras que les gens mettaient sur le bord du chemin pour les vidanges. Si quelqu'un avait une chance d'avoir entrevu quoi que ce soit, c'était bien lui.

Il s'arrêta net, attiré malgré lui par le camion stationné devant le restaurant. Il n'était pas rare de voir des plaques d'immatriculation du Québec dans le coin, mais ce camion-là lui était vaguement familier. Il jeta un coup d'œil autour, soudainement sur le qui-vive, un mauvais pressentiment venant s'insinuer dans sa poitrine, et s'approcha du camion. Il était vieux et en piteux état. Derrière, la caisse était complètement vide, que de la poussière accumulée là depuis, peut-être, des années. Il s'approcha un peu plus près et regarda discrètement à l'intérieur de l'habitacle.

Là. Sur la banquette avant. Une veste verte. La veste de Camille. Celle qu'elle portait tout le temps, quelle que soit sa tenue. Il en était persuadé. Ce camion. Ce camion-là. C'était le camion de François. Le camion de son père.

Lucas fouilla nerveusement dans ses poches pour en retirer son téléphone cellulaire. Il hésita un instant et composa le numéro du poste de police, la main tremblante.

13 juillet

— Camille ! Camille, réveille-toi !

Je me dresse dans mon lit, en panique. Mon cœur se met à battre à toute vitesse, la peur me prend à la gorge, j'arrive à peine à respirer. Ma chambre est plongée dans l'obscurité, c'est encore la nuit. Je ne comprends plus ce qui se passe. Mathis apparaît devant mon visage, tout souriant. Je soupire en lui donnant un coup sur l'épaule.

— Maudit, Mathis, tu m'as fait peur !

Il pose un doigt sur ses lèvres. Il chuchote :

— Chut ! Tu vas réveiller Mams. Suis-moi !

J'ai à peine le temps de réaliser ce qui se passe que je vois Mathis sortir en vitesse de ma chambre. Je sors de sous mes couvertures en frissonnant. Les rideaux virevoltent dans tous les sens et un courant d'air froid vient tourbillonner dans ma chambre. J'enfile ma veste verte en vitesse par-dessus ma robe de nuit, je trouve mes chaussettes à tâtons et je descends au rez-de-chaussée sur la pointe des pieds. Encore un peu ébranlée par mon réveil soudain et un peu perdue dans le brouillard des rêves, je fonctionne plus par automatisme que poussée par la raison. Si Mathis me dit de le suivre, je ne me pose pas de questions et je le suis.

L'horloge de la salle à manger m'annonce qu'il est trois heures du matin. La maison est complètement silencieuse, plongée dans le noir. Seul le tic-tac de la pendule vient briser la nuit. Par la fenêtre, je vois l'ombre de Mathis sur la véranda qui me fait signe de venir le rejoindre dehors. Je saute dans mes espadrilles que j'avais laissées sur le bord de la porte et j'essaie de ne pas faire grincer le portail qui mène à l'extérieur. Mathis me tend une lampe de poche et dévale l'escalier à toute vitesse, se frayant un chemin parmi les herbes hautes. Dans la nuit, je ne vois que le faisceau lumineux de sa lampe s'éloigner vers la plage. J'allume la mienne et je me mets à courir à mon tour, nerveuse, comme si j'étais poursuivie.

L'herbe humide et froide vient frapper mes jambes pendant ma course. Autour de moi, je sens que nous venons de réveiller les milliers de moustiques en manque de sang frais à se mettre sous l'aiguillon. Je n'aime pas ce qui se cache dans le noir, ce que je ne peux pas voir. Ça me force à courir plus vite, le plus vite possible dans les circonstances. La lumière de ma lampe de poche va dans tous les sens et le seul son qui parvient à mes oreilles est celui de ma respiration haletante. Qu'est-ce que je fais là, au beau milieu de la nuit? Qu'est-ce qui peut bien lui avoir pris?

J'aboutis sur la plage qui semble avoir rétréci depuis que j'y suis venue la veille avec maman. Je me demande, pendant une seconde, si je suis au même endroit, si, dans ma course, je n'ai pas franchi une distance plus grande que je ne le croyais. Mathis me vise avec sa lampe et me fait signe de venir le rejoindre. Il est assis par terre, dans le sable.

— T'es fou, ou quoi?

Il éteint sa lampe et me montre le ciel.

— Regarde!

Je lève les yeux vers le ciel. Je n'en crois pas mes yeux, j'ai le souffle coupé. J'éteins ma lampe, moi aussi, et je me laisse tomber sur le sable à côté de mon cousin, le regard rivé vers l'infini qui s'offre à moi. J'essaie de dire quelque chose, mais je n'y arrive pas. Je ne sais pas comment verbaliser ce que je vois, ce que ça me fait ressentir. Des étoiles. Des étoiles à perte de vue. Des étoiles comme je n'en ai jamais vu. Il y en a tellement que je ne sais plus où regarder. Elles sont si nombreuses qu'elles finissent par former des torrents, elles fusionnent pour créer des silhouettes, des rivières d'étoiles. C'est immense, c'est trop. J'en ai presque le vertige.

— C'est écœurant, hein?

J'approuve. Mathis semble satisfait de son effet.

— C'est la nuit parfaite pour les observer, y a pas de lune aujourd'hui.

Il n'y a pas de lune. Il n'y a que l'infini noir, inondé d'étoiles, de lumières scintillantes qui semblent ne briller que pour nous. Chez moi, il n'y en a jamais autant. J'arrive parfois à en apercevoir quelques-unes, à pouvoir identifier la Grande Ourse. Mais ici, impossible de mettre le doigt dessus. Elle doit être perdue dans le firmament.

Nous restons là, côte à côte, en silence, avec le seul bruit des vagues pour nous accompagner. La mer semble plus déchaînée que d'habitude. C'est la marée haute, me dit Mathis. Je ne sais pas trop ce que ça veut dire, mais je n'ai pas envie de lui demander. Je veux juste continuer de fixer le ciel.

Je réalise tout à coup que la Terre est ronde, que nous sommes tout petits. Nous sommes minuscules. Nous ne sommes rien dans cet univers immense. Combien peut-il bien y en avoir? À quelle distance doivent-elles se trouver? Tout se met à tournoyer autour de moi. C'est tellement beau que ça m'étourdit.

Je pose mon regard sur l'horizon, mais je n'arrive pas à distinguer où le ciel commence, où il finit. Il n'y a que le néant. Je crois entendre quelque chose sauter au loin dans l'eau. Un poisson peut-être, une baleine, un monstre marin. J'ai l'impression d'être encore à moitié dans un rêve, à moitié dans la réalité.

Je donne un petit baiser sur la joue de Mathis. *Merci pour ça*, que je lui dis. Il semble gêné par mon geste. Moi aussi je le suis. Je n'ai pas réfléchi, je l'ai fait d'instinct.

Je ne sais pas combien de temps nous restons là. Je ne sais pas si je dors ou si j'observe les constellations. Je suis fatiguée, mais fascinée en même temps. Au bout d'un moment, je me lève, mais je m'accroupis immédiatement, apeurée. Je saisis Mathis par le bras en essayant de ne pas tomber à la renverse.

— Quoi ? Qu'est-ce qu'il y a ?

— Regarde ! Là-bas !

Mathis se retourne tranquillement et s'accroupit devant moi pour suivre le bout de mon doigt qui pointe au loin, sur la rive. Il retient son souffle. Au loin, il vient de voir la même chose que moi : une lueur bleutée qui semble danser derrière la petite fenêtre de la vieille maison abandonnée, perchée sur le bord du ravin. *Tout le monde dit qu'elle est hantée c'te maison-là.* C'est ça qu'il m'avait dit, l'autre jour. Je sens un frisson parcourir ma colonne vertébrale.

— *What the heck…*, chuchote Mathis entre ses dents.

J'allume ma lampe de poche et je me mets à marcher, longeant la rive, vers la maison. Mathis réalise ce que je suis en train de faire et commence à me suivre, en essayant de rester caché derrière les dunes.

— Camille ! Camille ! Qu'est-ce que tu fais ?

Je m'arrête pile et me retourne vers lui. Il me fixe avec ses yeux ronds comme des dollars, il a l'air effrayé.

— Je vais voir ! T'es pas curieux ?

— T'es folle ?

Il a peur. Être si grand, si fort, et avoir peur d'une lueur bleue dans une maison prétendument hantée. Il doit y avoir une explication, je veux en avoir le cœur net. Et si ça existe pour vrai, les fantômes, je veux le voir. Je suis un peu effrayée, moi aussi, mais justement, ça me remplit d'adrénaline. Je suis nerveuse. Ça me donne envie de rire, comme si des doigts invisibles me chatouillaient de l'intérieur. Je continue à longer la plage vers le ravin. Mathis me suit en jurant à voix basse. Je suis inarrêtable. Plus nous approchons de la maison, plus je suis excitée. Et plus la lueur me semble étrange. Je n'ai jamais rien vu de semblable. Qu'est-ce que ça peut bien être ?

Je m'accroupis derrière les herbes hautes et j'éteins ma torche. Mathis m'imite immédiatement. La lueur semble se promener dans la maison. Elle apparaît, puis disparaît, puis revient.

— Câline, Camille, il y a vraiment quelqu'un dans la maison !

— Quelqu'un… ou quelque chose.

Je me mets à grimper la petite falaise vers la maison. Je m'en veux de ne pas avoir d'appareil photo avec moi. Je voudrais être la première à photographier un fantôme. Je voudrais qu'on me croie quand je raconterai cette histoire. Plus on s'approche, plus je sens mon sang battre dans mes tempes. Ma tête me dit de prendre mes jambes à mon cou et de m'enfuir, mais mes jambes continuent d'avancer par elles-mêmes, sans que je puisse les contrôler.

Nous sommes tout près. L'odeur du vieux bois pourri parvient à mes narines, mêlée à celle de vieux poisson. Le vent se lève. Je réalise en frissonnant que ma robe de nuit est complètement trempée par la rosée et les éclats de vagues que la brise apporte. La chair de poule m'envahit et je tremble de manière incontrôlable. De près, comme ça, la maison semble encore plus fragile. On dirait qu'elle s'apprête à s'envoler d'un coup de vent à l'autre. Elle craque, elle siffle. J'ai un mauvais pressentiment qui vient s'installer dans mon bas-ventre, comme un chatouillement de mauvais augure. Je me retourne vers Mathis qui a toujours l'air affolé. Au moment où j'essaie de voir à l'intérieur de la maison, la lueur disparaît soudainement. Nous nous retrouvons plongés dans l'obscurité. Je ne vois plus rien. Que des petits points de lumière bleutés, comme si quelqu'un venait de nous prendre en photo avec un flash démoniaque. Je tente d'ajuster ma vue, d'y voir plus clair dans la nuit.

Mathis agrippe mon épaule. *Écoute*, chuchote-t-il dans mon oreille, la voix tremblante. Des pas. Des bruits de pas dans la maison. Des pas lents, lourds. Puis un grand grincement, comme un hurlement qui vient briser le silence. Je tombe à la renverse, entraînant Mathis dans ma chute. On dirait que la maison crie de douleur, un long cri strident. Je tente de retrouver l'équilibre. J'ai peur. C'est fait. Je ne sais pas ce qu'il y a dans cette maison, mais je n'ai plus du tout envie de le découvrir.

La porte s'ouvre en une fraction de seconde et vient frapper le mur de la maison, emportée par le vent qui semble plus violent que l'instant d'avant. Je me fige. J'ai l'impression que quelqu'un nous observe, qu'on nous regarde, mais je ne vois rien. Dans l'ouverture de la porte, il n'y a que du néant. Puis le hurlement recommence. Mais cette fois-ci, il est accompagné d'une armée de grognements. Ça semble sortir de nulle part et nous envelopper, comme si nous étions entourés par des chiens féroces. Quand les jappements commencent, je cache mon visage dans mes mains. Je suis incapable de bouger.

Mathis saisit ma main avec une force que je ne lui connaissais pas et, en l'espace d'une seconde, je me retrouve debout à ses côtés. La maison grogne, jappe, crie plus fort. Mathis ne lâche pas ma main et m'entraîne avec lui dans sa course. Je crois que je l'entends crier. Ou bien c'est peut-être moi qui crie. Je ne sais pas. J'ai les yeux à moitié clos, je cours sans savoir où je vais. Je me laisse emporter par mon cousin, la peur au ventre, le cœur qui veut sortir de ma poitrine. Derrière nous, la maison continue de se débattre, mais plus nous courons, plus ça diminue d'intensité. Je ne sais pas combien de temps dure notre fuite. Je n'arrive plus à penser normalement. Je sais seulement que je dois continuer de filer à toute vitesse, à travers les herbes humides, vers notre maison.

Mathis lâche prise et s'écroule par terre. Je tente de retrouver mon souffle et je réalise que dans le chaos, j'ai perdu ma lampe de poche. J'aperçois notre maison, à une certaine distance d'où nous sommes. Le silence semble être revenu. Je n'entends plus que le bruit des insectes, celui des vagues au loin et la respiration haletante de mon cousin par terre.

— Mais c'était quoi, ÇA!? dit-il, à bout de souffle.

Je tombe sur mes genoux et je me mets à rire nerveusement. Mathis commence à rire lui aussi et, pendant une minute, nous rions aux éclats, comme pour chasser la terreur qui s'est emparée de nous. Ça fait du bien.

Il finit par se lever et vient m'entourer de son bras. Nous restons là pendant un instant en silence à regarder la petite maison au loin, sur le bord de la falaise. Elle est plongée dans le noir. Pas un son. Pas l'ombre d'une lueur. Juste son ombre. Et la sensation désagréable que là-bas, au loin, quelqu'un ou quelque chose nous observe. Je frissonne.

— Allez, viens. Rentrons avant que Mams s'aperçoive qu'on est partis.

Je retourne dans ma chambre et constate le piteux état de ma chemise de nuit. J'en enfile une nouvelle, propre et chaude, avant de prendre bien soin de fourrer l'autre au fond du panier de vêtements sales. Je suis épuisée, mais j'ai l'impression que je ne pourrai jamais retrouver le sommeil. Je regarde par la fenêtre de ma chambre au loin, pour essayer de revoir cette lueur étrange. Rien. À l'horizon, le ciel commence à se transformer et, là où quelques instants plus tôt je n'arrivais même pas à distinguer le ciel et la mer, l'horizon apparaît. Quelque part dans les différents tons de bleu qui s'offrent à moi, je retrouve mon calme.

Je m'entortille dans mes couvertures, au chaud, en espérant m'assoupir avant que les rayons du soleil ne viennent envahir ma chambre. Je me demande si Mathis réussit à dormir ou bien si, comme moi, il croit désormais aux fantômes.

– Dix –

Mams accompagna les policiers jusqu'à leur véhicule, poliment. Elle les remercia de leur bon travail et leur assura qu'elle avait pleinement confiance en eux. Elle en rajouta même un peu trop en souhaitant que *le Bon Dieu vous bénisse.* Elle regarda patiemment la voiture disparaître du chemin avant de faire demi-tour vers la maison. En un instant, son visage s'était métamorphosé. Florence connaissait ces yeux-là. C'était Mams dans toute sa colère, celle qui en avait assez. Elle ne les avait pas vus souvent dans sa vie, mais quiconque avait déjà croisé ce regard-là ne pouvait que s'en souvenir. Ils étaient terribles, bien plus terribles que le tonnerre qui commençait à se faire entendre au loin.

Elle fit irruption sur la véranda et arracha le cahier de Camille d'entre les mains de Caroline, qui n'avait rien vu de la scène.

— Toi, en dedans, immédiatement.

— Ben là…

Caroline vit le visage de sa mère et préféra ne rien dire de plus. Elle se leva, la tête basse, et entra dans la maison, suivie de sa sœur et de Mams. Celle-ci ordonna à Florence de leur servir un café, un autre. Elle en avait besoin. Elle somma Caroline de s'asseoir dans le salon, ce qu'elle fit sans rouspéter. Mais Mams resta debout à faire les cent pas, ne sachant trop par où commencer. Elle savait que crier ne servait à rien, mais elle en avait terriblement envie. Depuis des années, l'amertume qu'elle avait nourrie envers sa fille était intacte et elle n'avait jamais eu l'occasion de la déverser sur elle. Mais il était trop tard maintenant, ça ne réglerait rien. C'est à Camille qu'elle pensait. À son bien-être, à sa sécurité. Elle prit la tasse chaude que lui tendait Florence et en but une gorgée pour se calmer. La pièce était sombre, on aurait dit que la nuit était déjà tombée. Lorsqu'elle prit finalement place dans le fauteuil, Caroline avait déjà commencé à sangloter.

— Arrête de pleurer, fille, ça changera rien. Si tu veux rien dire aux policiers, ça te regarde, tu dois avoir tes raisons. Mais là, t'as plus le choix, va falloir que tu me parles. Que tu me dises tout. Parce que ta vieille mère est prête à te pardonner ben des choses, mais s'il est arrivé quelque chose à Camille…

Sa voix se brisa.

Florence fit un pas vers sa mère pour poser sa main sur son épaule, mais elle la rejeta du revers de la main. Elle devait se contenir, être forte. Elle devait savoir. Elle en avait la capacité, elle avait dû, par le passé, faire bien pire.

— C'est quoi? Vous m'accusez, asteure? Vous pensez vraiment que j'aurais fait mal à Camille, à ma propre fille?

— On t'accuse de rien. Mais il s'est assurément passé quelque chose pour que Camille s'évapore. Je la connais pas beaucoup, ta fille, mais je sais que c'est pas son genre de disparaître, pas comme ça.

La sonnerie du téléphone se fit entendre dans la maison. Une sonnerie. Deux sonneries. Mams lança un regard à Florence qui s'empressa d'aller répondre dans la cuisine.

— Dix ans, Caroline. Pendant dix ans, tu nous as pas donné signe de vie. Tu es partie d'ici en colère contre moi, pour des raisons qui te regardent. C'est un choix que tu as fait et je l'ai toujours respecté. Toujours. J'étais pas d'accord, tu pouvais pas me demander de l'être. Je le voyais ben quel genre de gars c'était, ce François-là... Pendant dix ans, j'ai attendu que tu reviennes. Pis je l'sais pas ce qu'il a bien pu te faire vivre pendant tout ce temps-là, mais maintenant que j'ai retrouvé ma famille, c'est pas vrai que je vais te laisser la briser à nouveau.

— Qu'est-ce que tu veux savoir, môman?

— Qu'est-ce qui s'est passé, hier? Je le sais que t'as pas été travailler depuis deux jours, Guy a appelé, il s'inquiétait. Où t'étais?

Caroline leva la tête vers Mams, les yeux exorbités, dégoulinants de mascara. Elle ouvrit la bouche pour dire quelque chose, mais au même moment, Florence entra dans la pièce, paniquée, le teint livide. En une fraction de seconde, Mams fut sur ses pieds.

— C'était Lucas au téléphone. Ils ont retrouvé sa veste.

- Mams demande à caroline de tout lui dire
- ils recoivent l'appelle de Lucas et en même temps Mams demande pourquoi Caroline n'était pas au travail les deux derniers jours

16 juillet

Maman fredonne devant le four. Elle a attaché ses cheveux en queue de cheval et son visage est désormais le sien. Plus aucune trace de papa. De notre passé. Elle est un peu redevenue elle-même. La cuisine est envahie par l'odeur sucrée du pain doré qu'elle nous a concocté ce matin avec les vieux croissants de la veille. Elle a l'air heureuse. Dans son habit de serveuse brun, avec ses petites espadrilles, elle a presque l'air d'avoir mon âge. Elle commence à travailler cet après-midi au Trixie Dee, un petit restaurant au bout de l'île. Elle a l'air nerveuse, mais contente de se sentir enfin utile. Ça me soulage de la voir comme ça. Peut-être que, si tout va bien, on va pouvoir se trouver un petit chez-nous pas trop loin d'ici. Peut-être que je vais m'inscrire à l'école. Peut-être que je peux me permettre d'y croire, à cette nouvelle vie.

Maman dépose une assiette fumante de pain doré devant moi en fredonnant. Je n'ai pas vraiment faim, mais j'en prends une grosse bouchée en me délectant, pour lui faire plaisir. Pour qu'elle recommence. Mams est assise à l'autre bout de la table, comme une chef de famille, et hoche la tête pour marquer son approbation. Elle a l'air satisfaite, mais reste stoïque. Bientôt deux semaines que nous sommes là, et je ne sais toujours pas quoi penser de ma grand-mère. J'aurais voulu qu'elle soit câline et aimante, qu'elle me prenne dans ses bras comme ma tante Florence, mais non. Elle reste à l'écart et elle observe. Elle ne parle pas beaucoup. C'est comme si elle se méfiait de quelque chose. De nous? Elle a peut-être aussi peur que moi que ce soit trop beau pour être vrai. Son cœur à elle a dû se briser quelques fois à cause de ma mère, je le sais.

Ma tante lève les yeux de son roman et demande une portion, un peu trop enjouée. Elle a l'air aussi énervée que ma mère, comme si c'était elle qui commençait un nouveau travail. Quand maman est revenue de son entrevue, hier, et qu'elle nous a annoncé qu'elle avait eu la job, Florence s'est mise à sauter et à crier comme une petite fille qui vient de recevoir le cadeau parfait pour Noël. C'était presque gênant. Je ne pense pas qu'elle veuille mal faire. Elle est juste comme ça.

On crève de chaleur dans la maison. Dehors, la canicule vient de s'installer pour de bon. J'espère que Mathis ne reviendra pas trop tard et qu'on pourra se baigner ensemble, sur notre plage. Il travaille aujourd'hui avec son père. Il a dû se lever aux aurores pour aller décharger les bateaux au port. Comme la saison du homard est bel et bien terminée, il faut maintenant qu'ils entreposent tous les casiers jusqu'à l'année prochaine. Pauvre Mathis. Travailler par une chaleur pareille.

« Ça m'dérange pas, qu'il m'a dit. Une fois que tu t'y mets, ça s'fait tout seul pis le temps passe vite. »

Je ne sais pas ce que je vais faire de ma journée. C'est la première fois que je me retrouve vraiment toute seule depuis notre arrivée. Avec Mathis et Lucas au port, maman au restaurant, Florence qui frotte la maison, je n'ai pas du tout envie de passer plus de temps qu'il n'en faut avec Mams. On ferait quoi, d'abord? J'ai l'impression que chaque fois que je lui pose une question, elle esquive. Toutes nos conversations ne vont que dans une direction et, encore là, elles foncent droit dans un mur de béton.

Maman vient m'enlacer par-derrière et m'embrasse le cou en m'appelant *sa puce*. Elle me demande si je veux d'autre pain doré. Je n'ose pas lui dire non, même si je n'ai plus vraiment faim et que je commence à trouver que, déjà en deux semaines, j'ai grossi. On est bien, ici, mais on mange sans arrêt. Il y a tout le temps de la nourriture qui apparaît dans le frigo. Mon oncle Lucas ne revient jamais les mains vides, comme s'il avait peur qu'on crève de faim. Même le sous-sol de la maison est rempli de cannages de toutes sortes. C'est à croire qu'ils attendent une pénurie, ou quelque chose comme ça. Ça me fait bizarre. J'ai passé toute ma vie à avoir faim. Et maintenant, j'ai l'impression d'en avoir trop. Et Mams qui refuse que je quitte la maison sans avoir avalé quelque chose. Même quand je pars seule avec Mathis, elle insiste pour qu'on emporte des provisions, au cas où.

Florence propose à maman d'aller la reconduire au travail. Elle accepte et court chercher sa veste dans sa chambre. Notre voiture est morte. Lucas a promis d'y jeter un coup d'œil, mais maman ne se fait pas d'illusions. C'est déjà un miracle qu'elle ait tenu jusqu'ici. Dans quelques mois, nous aurons les moyens d'en acheter une autre. Je l'espère. Parce qu'une fois l'hiver venu, je ne pourrai pas me déplacer partout à vélo. Encore faudrait-il que j'en aie un à moi.

Je les regarde partir, assise dans les marches de la véranda. Maman me fait un petit salut de la main, comme si elle se voulait rassurante. C'est plutôt moi qui devrais la rassurer. Elle doit être morte de peur de retourner travailler après tant d'années à ne rien faire à la maison. Papa n'a jamais voulu qu'elle retourne sur le marché du travail. Elle a bien essayé une fois, mais ça a mal tourné. Il est jaloux, mon père. Il ne tolérait aucune coquetterie de sa part.

Si elle se maquillait le moindrement, si elle essayait d'être belle, ne serait-ce qu'un tout petit peu, il pétait un câble et lui reprochait de faire exprès, d'essayer de plaire à quelqu'un d'autre. Elle a vite lâché prise et quitté son travail. De toute façon, elle ne voyait pas un sou de ce qu'elle gagnait. Il s'empressait de lui prendre sa paye et de la dépenser à sa façon... en alcool, la plupart du temps. Peut-être ailleurs, aussi, je ne sais pas trop.

Je ne connais rien de la vie de mon père. Je ne le connais pas.

J'entre pour attraper mon cahier que j'ai soigneusement laissé sous mon oreiller dans ma chambre. J'ai besoin d'écrire, de sortir tout ça de mon système. Mathis n'arrête pas de rire de moi quand il me voit gribouiller mes mots dans mon carnet, mais il ne peut pas comprendre. Le seul moyen que j'ai d'affronter ma vie, c'est de la jeter dans ces lignes. J'exorcise mes démons. En les transformant en mots, c'est comme s'ils sortaient de moi et que ma réalité n'existait plus que sur papier. J'en dors mieux... Mais depuis que je suis ici, chaque fois que je me relis, j'ai l'impression de lire la vie de quelqu'un d'autre, comme si la Camille qui a écrit ces phrases n'était pas moi. Je ne la comprends plus.

Je mets une couverture dans mon gros sac, mon cahier, mes lunettes de soleil. J'attrape une bouteille d'eau dans le frigo et je repasse par la cuisine pour sortir à l'extérieur. Je surprends Mams en train de fumer une cigarette sur la véranda. Pendant un instant, on reste là à se dévisager. Je ne sais pas trop comment réagir, je ne l'ai jamais vue faire ça avant. Elle a l'air d'une gamine qu'on vient de surprendre en train de faire un mauvais coup.

— Ne le dis pas aux autres, OK? Ça ferait de la chicane pour rien.

J'ai envie de rire, mais je ne veux pas l'insulter. Je hausse les épaules en la rassurant. Ce sera notre petit secret. Elle a l'air soulagée.

— C'est une mauvaise habitude, je sais, et Florence me tuerait si elle me voyait. Mais une fois de temps en temps, ça me fait du bien. Tu comprends?

— Je pense que oui.

— Tu t'en vas où comme ça?

— Je vais aller sur la plage, écrire un peu. Il fait un peu moins chaud sur le rivage.

— OK.

Le silence est lourd. Je ne sais pas quoi lui dire. Je n'ai pas envie de l'inviter, mais une partie de moi s'en veut de la laisser seule. Pour la première fois, je vois de la tristesse dans ses yeux. Son masque est tombé. Peut-être parce que je viens de la prendre en flagrant délit. Peut-être aussi qu'elle ressent la même chose à mon égard. Même si on partage le même sang, Mams m'est totalement inconnue. Avec ma tante Florence, ça a été automatique. Elle est tellement avenante, tellement chaleureuse. Mathis, c'est bizarre. J'ai l'impression de l'avoir toujours connu. Mais avec Mams, c'est différent. Je sais que je l'aime, mais je n'arrive pas à savoir pourquoi.

— Tu sais, Camille, si jamais tu as besoin de me parler, même si c'est des choses pas faciles, tu peux le faire. Je vais toujours être là pour toi.

— Oui, oui. Je sais.

— Ça doit être étrange pour toi, ce qui t'arrive.

— Ce qui m'arrive?

— Te retrouver du jour au lendemain loin de chez vous, dans une famille que tu connais pas. Dans les non-dits.

C'est exactement le terme qu'elle a utilisé. Les non-dits. Et je n'aurais pas pu trouver mieux. Je m'en souviens parce que ça m'est rentré dedans, comme si elle venait de me gifler. Le malaise que je ressens, celui qui erre tout le temps dans la maison, chaque fois qu'on est tous ensemble. On joue à la famille parfaite, mais jamais personne ne dit rien. À part ma tante Florence, je ne pense même pas que qui que ce soit ait osé questionner ma mère sur ce qui s'est passé. On est arrivées ici, et ils nous ont accueillies comme des princesses. Pas de questions. Pas de jugement. Mais les non-dits, eux, sont là. Tout le temps. Il y a juste Mathis qui en sait un peu plus, parce que je me suis confiée à lui, parce qu'il n'a pas de filtre. Parce que pour lui, c'est normal, il n'y a pas de tabou. Pourtant, s'il savait tout ce que je garde en dedans.

— C'est étrange pour moi de découvrir que toutes ces années-là, j'avais une famille comme vous autres et que je l'ai jamais connue.

C'est sorti tout seul. Un peu bête même.

J'ai envie de lui balancer ma colère au visage. C'est soudain. Ça monte en moi d'un coup, sans que je m'y attende. Un mélange de frustrations et de peine qui me donne envie de crier et de pleurer en même temps. Je voudrais comprendre pourquoi ils ne sont jamais venus me chercher. Pourquoi, en sachant quel genre d'homme était mon père, ils n'ont jamais rien fait pour nous. Je voudrais qu'elle comprenne que chaque carte de fête de sa part, chaque carte de Noël me faisait plus de mal que de bien. Parce que c'est pire de savoir que quelqu'un, quelque part, sait que tu existes, mais se donne juste la peine de t'envoyer vingt dollars dans une carte, deux fois par année.

— Camille…

— C'est correct, Mams. On reparlera de ça plus tard, OK?

Je la laisse seule sur la véranda. Je n'ose pas la regarder. Je ne veux pas qu'elle voie que j'ai les yeux pleins d'eau. Je ne veux pas lui faire de mal. Je sais bien que ce n'est pas de sa faute. C'est ma mère qui est partie, c'est elle qui a coupé les ponts. Je la connais assez pour savoir que ça vient d'elle, tout ça. C'est à elle que j'en veux maintenant.

Je donne un coup de pied dans le sable et je le regarde s'envoler un peu plus loin. Même le vent du large est bouillant. J'étale ma couverture sur le sable et je m'installe confortablement dans la dune qui me sert de dossier. J'arrive à me cacher un peu du soleil pour le moment, avant qu'il n'atteigne le méridien. Je sais que, à ce stade, je ne pourrai plus rester ici, il sera trop fort, trop insupportable.

J'écris. J'écris tout ce qui me passe par la tête. Mais mes pensées sont ailleurs. Je voudrais être avec Mathis sur son bateau, loin, entourée de rien, que de l'eau valsante de la mer. Je pourrais lui parler et il comprendrait, lui. On resterait assis, l'un contre l'autre, à se faire bronzer au soleil, à écouter la radio sans se poser de questions.

J'essuie mon front trempé de sueur et je reste étendue là, à regarder le ciel complètement découvert. Je réalise que je suis à l'endroit même où, quelques jours plus tôt, je me suis perdue dans les étoiles avec Mathis. Je me redresse soudainement et regarde vers l'ouest. La petite maison a l'air toute petite sur la falaise, fragile. Elle n'est pas du tout épeurante comme ça, en plein jour. Je me lève rapidement et je fourre la couverture dans mon sac.

Sans que je sache pourquoi, mes pieds avancent et je me dirige vers la petite maison hantée.

- Caroline commence à travailler dans un petit restaurant
- Son père ne voulait pas que Caroline travaille
- Elle se retrouve toute seuls avec Mams
- Camille en veux à sa mère, car c'est elle qui est partie
- Elle se dirige vers la maison
- Mams fumait et dit de ne pas le dire à Florence

– Onze –

Mathis arriva à temps pour voir la voiture de sa mère quitter le chemin de la maison. Il déposa son vélo en vitesse et se mit à courir pour essayer de la rattraper. L'auto fila sur la route avant qu'il ait eu le temps de l'atteindre. Il se pencha vers l'avant, encore essoufflé de sa course à vélo. Au loin, il entendit son nom. C'était sa mère qui l'appelait de la véranda.

— C'était qui dans ton auto?

— Mams et Caroline. Elles s'en vont en ville, au poste de police.

— Ils ont retrouvé Camille?

Florence secoua la tête, tristement, plus inquiète que jamais. Mathis donna un coup de pied dans le vide en tournant sur lui-même.

— Ils ont retrouvé sa veste… dans le truck de son père.

Si sa mère avait saisi un bâton de baseball et avait envoyé sa tête valser au loin, l'impact aurait sans doute été moins violent. Son père? Elle avait donc eu raison, tout ce temps-là, de penser qu'elle le voyait partout? C'était donc vrai? Il s'en voulut instantanément. Il aurait dû aller à la police, il aurait dû parler à quelqu'un, au moins pour la protéger. Ils ne l'auraient pas emmenée loin, ils auraient fait ce qui était le mieux pour elle. Mais il avait écouté Camille et respecté sa décision. Lui non plus ne voulait pas la voir partir. Il venait à peine de la retrouver, de la découvrir.

— Pis son père?

— Ils l'ont emmené au poste. Mais il dit qu'il ne l'a pas vue depuis hier.

— Depuis hier? Je comprends pas. Il l'a vue, hier?

— Je sais pas, Mathis, je sais rien. Je sais juste ce que ton père m'a dit au téléphone. Mams va tout nous expliquer à son retour. Viens.

Florence entra dans la maison suivie de Mathis et la porte derrière eux claqua sous l'effet du vent. C'était toujours mauvais signe quand le vent se levait sur la côte. Il n'apportait jamais rien de bon.

Mathis se dirigea vers le frigo et se versa un grand verre de lait. Il était assoiffé. Il ne s'en était même pas rendu compte dans l'énervement. S'il ne s'était pas retenu, il aurait vidé la pinte à même le carton, mais sa mère détestait quand il faisait cela, même si, une fois terminée, plus personne ne boirait dedans. Ça manquait de classe, disait-elle.

Il resta là, immobile dans la cuisine, ne sachant pas quoi faire. Il aurait voulu être utile, avoir une idée de génie. Il aurait voulu être en ville avec son père, au moins essayer de comprendre, de recoller les morceaux. Il savait qu'il était près de la vérité, mais il ne savait pas par où la trouver. Pourtant, il en était plus que persuadé maintenant, Camille était en sécurité. Elle devait l'être. Elle avait sûrement laissé sa veste là pour lui dire quelque chose, pour laisser une trace de son passage.

La simple pensée qu'il ait pu lui arriver du mal le mettait hors de lui. S'il avait pu, il se serait téléporté au poste de police et il aurait frappé le père de Camille de toutes ses forces. Ça n'aurait rien réglé, mais ça lui aurait fait le plus grand bien. Il aurait aimé pouvoir se retrouver face à lui, lui parler. Essayer de comprendre ce qui peut bien pousser un homme à faire subir tout cela à la femme qu'il aime. Pire. À une petite fille sans défense.

Du coin de l'œil, il entrevit le cahier de Camille déposé sur la table de la salle à manger. La dernière fois qu'il l'avait vu, c'est sa tante Caroline qui l'avait entre ses mains. Camille n'aurait sûrement pas aimé l'idée de voir sa mère en train de lire son journal. Elle aurait détesté ça, il en était certain. Étrange, cependant, qu'elle l'ait laissé derrière elle. Elle le traînait toujours partout, son cahier. Jamais il ne l'avait vue sans.

Mathis saisit le cahier à la volée et se dirigea discrètement sur la véranda où il fut surpris de voir sa mère assise sur le grand fauteuil.

Hypnotisée par les nuages gris, elle fumait une cigarette nerveusement.

— Qu'est-ce que tu fais là?

Florence sursauta, prise en flagrant délit.

— C'est pour mes nerfs, OK? Surtout, dis-le pas à ta grand-mère, elle me tuerait si elle savait ça.

Il haussa les épaules. Aujourd'hui, plus rien ne le surprendrait. Il prit place sur le banc de bois près de la porte et feuilleta le cahier de sa cousine. Presque toutes les pages étaient pleines de l'écriture de Camille, une petite écriture fine et ciselée. Rapide. Elle ne sautait jamais une ligne et écrivait droit, d'un geste sûr et décidé. Bientôt, elle serait à court de pages. Le cahier devait avoir doublé de taille sous la pression de son crayon.

Pourquoi est-ce que tu n'es pas partie avec ton journal? Ça ne te ressemble pas. Il hésita un instant et ouvrit le cahier.

↓ de camille

∘ Son père est au poste et dit qu'il n'a pas vu Camille depuis hier

∘ Caroline et Mams se rendent au poste.

∘ Mathis prend le cahier de Camille

∘ Florence fumait et dit de ne pas le dire à Mams

∘ Mathis se demande pourquoi elle n'est pas partie avec son cahier, car elle l'avait toujours sur elle

18 juillet

— Je pense que je suis en train de devenir folle.

C'est sorti tout seul. Ça fait des jours que ça m'obsède, que je ne sais pas trop quoi penser. Je n'ai jamais eu l'occasion de lui en parler et ça me brûlait les lèvres. Mais maintenant que je le lui ai dit, je ne suis pas certaine que ce soit une bonne idée. Mathis me dévisage en essayant de garder sa concentration sur le gouvernail du bateau. Je ne suis pas certaine qu'il m'ait entendue par-dessus le bruit assourdissant du moteur.

— QUOI?

Je lui fais un signe de la main pour qu'il laisse tomber. Je sors de la cabine de pilotage pour me retrouver inondée de vent. L'air salin envahit mes poumons et je ferme les yeux, je prends tout. C'est le meilleur état du monde. Maintenant que je l'ai connu, je ne pourrai plus m'en passer. Je m'accroche au bord du petit bateau de pêche et je regarde la côte disparaître au loin. Derrière nous, il y a une armée de goélands qui nous suit, comme si nous étions synonymes de festin. Mais nous ne pêcherons pas aujourd'hui. Nous avions juste envie de nous retrouver loin, dans notre nulle part.

J'entends le moteur s'arrêter. Je suis nerveuse, je ne sais pas pourquoi. Ça fait deux jours que je passe sans Mathis et je suis heureuse de me retrouver avec lui. C'est mon cousin, je sais qu'il ne se passera jamais rien de romantique avec lui, mais c'est quand même la personne que je préfère. C'est la première fois que je me permets d'être complètement moi-même avec quelqu'un. Il a cette qualité-là, Mathis. On dirait que la complicité que nous avions sur cette photo, chez Mams, quand nous étions petits, ne nous a jamais vraiment quittés, même si je ne m'en souviens plus. Nous sommes liés l'un à l'autre.

Je sursaute quand je le sens arriver derrière moi. Il pose ses mains sur chacune de mes épaules et, sans que je puisse contrôler mon corps, je m'appuie à lui. Je sens sa respiration dans mon cou. Sauf ma mère, personne ne m'a jamais manifesté autant de tendresse. Ça me renverse. Mon ventre grouille de chatouillements, comme un mélange de bonheur et de tristesse, un sentiment étrange qui m'habite chaque fois que je suis avec lui. Il se penche à mon oreille.

— T'es pas folle, Camille. Pourquoi tu dis ça?

Je me défais de son étreinte pour apercevoir son grand sourire niaiseux, réconfortant. Je m'adosse au rebord du bateau qui balance dans tous les sens au rythme des vagues que nous avons créées en voguant trop vite.

— Je sais pas… Je paranoïe sûrement.

— Ben voyons, Camille. Tu m'inquiètes, là.

— Je le vois partout, Mathis. Depuis une semaine, j'ai l'impression qu'il me suit, qu'il sait qu'on est ici.

— Qui ça, ton père?

Je hoche la tête, incapable de prononcer ne serait-ce que son nom. J'avais cru l'apercevoir à Bathurst quand nous sommes allés magasiner. Mais je me suis dit que c'était impossible, que ça ne pouvait pas être lui. Mais partout où je vais depuis, j'ai l'impression de voir son camion, de sentir son regard sur moi. Même quand je suis seule, je me sens observée.

— Es-tu certaine?

— Je sais pas, Mathis. C'est peut-être juste mon imagination. J'ai passé ma vie à l'attendre dans le détour, c'est peut-être juste mon instinct.

— Peut-être pas. De la manière que tu m'en parles, il serait assez fou pour retontir icitte. En as-tu parlé avec ta mère?

— Non! Surtout pas. Des plans pour qu'elle le cherche.

— Elle ferait ça, tu penses?

— Oui. Mon père, c'est comme un aimant pour elle. Il a beau la frapper, elle revient

144

toujours vers lui. Elle peut pas s'en empêcher. Je comprendrai jamais rien à l'amour. Comment est-ce qu'elle peut retourner sans arrêt vers lui, après tout ce qu'il lui a fait?

Nous ne disons rien. Mathis semble analyser ce que je viens de lui dire. Moi, je tremble intérieurement. J'essaie de me convaincre qu'il n'est pas là, qu'il ne nous a pas retrouvées. Mais je sais qu'il est déjà venu ici, il y a longtemps, que ça s'est mal terminé. Je ne connais pas grand-chose de la chicane que maman a eue avec Mams, mais je sais qu'il en est le sujet principal. Il a dû se douter de quelque chose... ou bien c'est ma mère qui l'a appelé. Après tout, j'en ai moi-même eu l'impulsion à notre arrivée.

— On peut en parler à mon père, peut-être qu'il saurait quoi faire.

— Non. Je veux pas inquiéter personne avec ça. Je suis sûr que c'est moi qui capote.

— Mais si c'était vrai, Camille? Qu'est-ce qu'on ferait?

Je ne sais pas ce que je ferais. C'est ce qui me trotte dans la tête depuis quelques jours. Comment réagirais-je si je me retrouvais face à face avec lui? Est-ce que j'aurais le courage de l'affronter, de surmonter l'effet qu'il a toujours eu sur moi? Je n'en ai jamais été capable. Quand il est là, je me fige. Il me terrifie. Comment expliquer cela à Mathis? Comment lui faire comprendre? Je ne sais pas ce que je ferais… Je ne sais pas ce que lui ferait !

— Y a rien à faire, Mathis.

— On peut aller à la police.

Ça me prend quelques instants pour réaliser que je ris. Un rire nerveux, senti, à la limite du désespoir. Mon cousin me regarde, insulté de ma réaction.

— Ben quoi ? qu'il me dit un peu fâché.

J'essaie d'arrêter de rire, mais je n'en suis pas capable. C'est ça, ou pleurer. Je suis tannée de pleurer.

— Et je leur dis quoi, moi, à la police ? *Bonjour, je pense que mon père me suit !* Je suis mineure, Mathis. Jusqu'à preuve du contraire, mes parents ont encore tous les droits sur moi.

— Mais ta mère…

— Veux-tu savoir combien de fois j'ai vu la police débarquer chez nous ? Combien de fois j'ai vu ma mère refuser de porter plainte, inventer des excuses, des histoires qui ont pas d'allure ? Pis après coup, mon père qui pleure pis qui s'en veut, qui jure qu'y recommencera pas, pis ma mère, elle, qui le prend dans ses bras, qui comprend. Combien de fois elle m'a suppliée de rien dire !

Je crie. Je n'arrête pas de crier. Plus je parle et plus les mots sortent en gros bouillons de ma bouche, de plus en plus fort. Mathis recule, comme apeuré par ma soudaine violence, mais je ne suis pas capable de me contenir. Et plus je crie, plus j'enrage et mes yeux pleurent. Personne ici ne peut m'entendre. Juste lui. Lui et ses commentaires niaiseux.

— Si je parle, c'est moi que je mets dans le trouble. C'est moi qui vas être traînée d'un bord pis de l'autre, dans des familles d'accueil, pis des centres, pendant que ma mère va se faire tuer toute seule avec lui. Je veux pas ça. Je veux juste rester ici. Je veux juste que ça arrête d'exister. Je suis tannée de survivre. Va à la police, tu me dis. C'est la dernière chose que je vais faire.

Je m'effondre. J'aurais envie de courir, d'être ailleurs, mais je n'ai nulle part où aller. Je suis au milieu de nulle part, entourée d'eau, prisonnière de ce petit bateau. Et Mathis est là qui me regarde, ne sachant trop quoi faire. Ce n'est pas de sa faute. Il ne devrait pas voir ça. Je frappe ma tête contre la paroi du bateau, j'ai envie d'avoir mal ailleurs, que mon crâne se fissure, qu'il arrête de penser. Mathis m'arrête et se penche sur moi, me force à me laisser prendre dans ses bras. Je résiste, hystérique. Puis je me laisse aller à son étreinte et je continue de pleurer de rage, incapable de faire autrement. Il me murmure que ça va bien aller, de ne pas m'en faire. Il me berce en laissant glisser ses doigts dans mes cheveux ébouriffés.

— Je sais pas quoi faire. Je l'sais pas, que je continue de répéter, sans arrêt, comme pour envoyer ces mots-là dans l'univers. Si Dieu existe, quelque part, peut-être qu'ils lui parviendront.

Je ferme les yeux et je me laisse bercer par la chaleur de mon cousin. Je ne comprends pas ce qui m'arrive. J'ai toujours vécu dans le silence de ma réalité. Jamais je n'aurais cru qu'en si peu de temps, tout mon monde pouvait s'écrouler ainsi, toutes mes inhibitions. J'ai baissé ma garde, éblouie par autant de proximité. Je n'ai jamais vraiment connu l'amitié, l'intimité. J'ai toujours eu peur qu'on me pose des questions, qu'on exige des explications. Si j'avais su que c'est ce dont j'avais besoin pour réaliser l'ampleur de ma solitude, je l'aurais fait avant. Ça me fait du bien de tout balancer comme ça à Mathis, même si c'est épeurant pour lui. Pour moi aussi. Mais c'est salvateur. Désormais, j'ai atteint un point de non-retour. Je ne peux plus reculer, retourner dans cette vie-là. Ça fait seulement deux semaines que je suis ici, et déjà, je comprends que la vie que je menais n'en était pas une. Ce n'est pas normal ce que je vis.

Je sais aussi que je devrai parler à ma mère. Mais pas aujourd'hui. Pas maintenant. Pour l'instant, je reste sur le bateau, au milieu de notre nulle part, là où rien ne peut m'atteindre. Même pas lui. Mon père. Le monstre.

Ce n'est pas comme ça que j'avais imaginé ma journée. J'avais hâte de pouvoir dire à Mathis que j'avais élucidé le mystère de la maison hantée sur la falaise. J'avais hâte de tout lui raconter. Mais je n'en ai pas la force. J'ai envie de dormir. D'oublier.

De disparaître.

○ Camille croit que son père est ici et qu'il l'observe
○ il sont sur le bateau
○ Elle sait ce qu'il y a dans la maison hanté

– Douze –

Le silence était lourd. Mams avait éteint la radio immédiatement après que Caroline l'avait mise. Elle n'était pas d'humeur à entendre de la musique. Et puis elle détestait conduire. Mais Caroline n'était pas en état de prendre le volant, elle le savait. Elle dut donc se sacrifier et prendre place du côté conducteur. Elle regardait droit devant, crispée, les mains si serrées sur le volant qu'elles commençaient à perdre de leur couleur. Derrière elle, les voitures s'alignaient les unes après les autres, leurs conducteurs sans doute exaspérés de la lenteur à laquelle elle roulait. Quand l'un d'eux réussissait à la dépasser, en klaxonnant la plupart du temps, elle l'envoyait promener à tue-tête. Elle irait à son rythme, peu importe les autres. Elle était furieuse. Et morte d'inquiétude. Deux choses qui créaient en elle une rage à toute épreuve. *Je suis trop vieille pour vivre ça*, se dit-elle.

Caroline s'était recroquevillée sur elle-même, tremblante. Le manque de sommeil commençait à faire son effet sur son corps meurtri. Elle maudissait sa semaine, maudissait la vie de l'avoir mise dans pareille situation. Elle maudissait Camille d'avoir disparu sans laisser de traces. Elles étaient censées se tenir, être solidaires l'une de l'autre. Sa fuite venait de briser ce pacte silencieux et malsain qu'elles entretenaient depuis des années. Elle ne savait plus que penser. Au départ, la colère s'était emparée d'elle. Elle s'était sentie trahie, par sa propre fille en plus. Mais les mots que Camille avait écrits résonnaient en elle. *Elle ment, ma mère. Tout le temps.* En osant s'infiltrer dans les pensées de Camille, elle s'était malgré elle retrouvée face à la perception qu'on avait d'elle. C'était comme se retrouver devant un immense miroir déformant la réalité telle qu'elle la connaissait, comme ceux qu'on retrouve dans les foires. Et ce reflet la laissait pensive. Parce que Camille n'avait pas tort. Pas tout à fait. C'est ce qui faisait le plus mal. Elle mentait. Tout le temps. Elle en était même arrivée à se mentir à elle-même. À y croire.

Caroline regardait son Acadie défiler devant elle, à travers ses immenses lunettes de soleil. Elle avait peur de ce qu'elle allait trouver au bout du chemin. Peur de la réaction de Mams, de son beau-frère. Peur du jugement des autres. Ce qu'elle appréhendait le plus, c'était François. Elle avait beau se rejouer les derniers jours dans sa tête, sa réalité était si désorganisée qu'elle ne savait plus quelle version avait vraiment eu lieu. Comment allait-elle expliquer? Comment se justifier?

Mams brisa le silence, agressivement.

— Tu le savais qu'il était là, François, hein? C'est pas une surprise pour toi.

Caroline haussa les épaules. Elle ne voulait pas répondre. Elle n'en avait pas la force. Elle aurait voulu se rouler en petite boule, pleurer un bon coup. Qu'on la laisse tranquille… Qu'on la laisse rater sa vie tranquille!

Mams lâcha le volant d'une main et donna une claque à sa fille pour qu'elle se ressaisisse.

— Réponds-moi quand j'te parle!

Caroline se redressa, soudainement hors d'elle-même, comme si elle venait de se réveiller brusquement.

— Oui! Oui, je le savais! C'est ça que tu veux que je te dise? T'es contente, là?

Mams se mordit la lèvre inférieure pour s'empêcher de hurler. Elle s'en voulait de ne pas y avoir pensé plus tôt. Tout s'expliquait maintenant. L'attitude bizarre de Caroline depuis quelques jours, son silence étrange depuis la disparition de Camille, le regard atterré que sa petite-fille lui avait lancé, la veille, avant de partir. Elle comprenait maintenant ce qu'elle avait tenté de lui dire avec ses yeux. Elle aurait dû voir tout cela. Elle aurait dû s'en douter.

— Depuis quand?

— Depuis quand, quoi?

— Depuis quand tu le sais qu'il est dans le boutte ?

Caroline se résigna. Mams allait finir par tout apprendre de toute manière, aussi bien qu'elle l'apprenne de sa bouche. Le choc n'en serait pas moins terrible, mais au moins, elle aurait le temps de s'expliquer. De s'excuser.

— Ça fait une semaine. Mais je pense que ça fait plus longtemps que ça qu'y traîne dans le boutte. Il savait juste pas où me trouver.

— Franchement !

— Je le sais pas, m'man ! Tout ce que je sais, c'est qu'il est retonti au Trixie Dee l'autre soir. Comment il a su que je travaillais là, j'en ai aucune idée. Tu l'connais, François. Quand y a quelque chose dans' tête…

— Lâche-moi tes excuses, fille ! Je le connais, ce discours-là. Je le connais par cœur. Là, tu vas me dire qu'il a demandé pardon, qu'il a changé, qu'il boit plus, qu'il a compris, qu'il t'aime, qu'il n'est plus rien sans toi… Pis toi, t'as toute cru ça. Encore !

— Maman !

— Quoi ? J'ai raison ou pas ?

Elle avait raison. Mais à entendre la manière dont Mams le disait, ça semblait horrible, comme si Caroline n'était qu'une pauvre victime.

— Oui et non. Tu peux pas comprendre ! Tu l'as jamais aimé, *anyway.* Ça s'est pas passé comme ça pantoute.

Elle ment, ma mère. Tout le temps.

— On a beaucoup parlé. J'y ai dit des affaires que je pensais jamais être capable d'y dire, que je pensais jamais qu'il pourrait comprendre.

— *Bullshit!*

— Laisse-moi donc t'expliquer!

— Non. J'en ai déjà trop entendu. Pis je te le jure, ma fille, si cet imbécile-là a touché ne serait-ce qu'à un seul cheveu de Camille, je sais pas trop ce que j'pourrais faire…

— Il a rien fait à Camille!

— Qu'est-ce que t'en sais?

Caroline regarda le poste de police se rapprocher au loin. Lucas se tenait debout, au bord de la route. Elle hésita un moment.

— Je le sais parce que j'étais avec lui.

○ Caroline savait que François était là

○ caroline a parler à François

22 juillet

Je me sens forte ce matin.

Je suis forte.

Je dois continuer de me le répéter. Mathis dit qu'en me le disant tous les jours, je vais finir par le croire. Il dit qu'il n'y a rien que je veux que je ne puisse pas avoir. Que la vie, c'est ce qu'on décide d'en faire. Alors j'ai décidé de vivre chaque jour pleinement, même s'il y a toujours l'ombre d'un mauvais jour qui plane pas trop loin. Je suis ici. Alors j'en profite. Et si je lance toute mon énergie dans les airs, tous mes vœux, peut-être que je pourrai rester ici, avec Mathis.

Il est toujours aussi parfait. Il ne m'a pas reparlé de mon épisode sur le bateau. Il ne le fera pas non plus. *Tout ce qui se dit ici, ça reste au large,* qu'il m'avait dit. Et il tient parole. Mais je sens que ça a changé entre nous, qu'il ne me regarde plus pareil. Il fait son protecteur et marche le torse bombé aussitôt qu'on croise âme qui vive. Je pense qu'il commence à comprendre un peu plus d'où je viens. Et je viens de loin.

Maman a l'air d'aimer son travail. Elle dit qu'elle fait de bons pourboires et que le monde de la place est vraiment gentil avec elle. Ça fait du bien de la voir sourire comme ça, alors je n'ose pas trop lui parler de mes inquiétudes. Ça la mettrait à l'envers pour rien. Le temps viendra, j'en suis certaine. Pour l'instant, j'essaie de me défaire de ma paranoïa, de ma peur.

À bien y penser, j'ai dû avoir l'air d'une complète hystérique devant Mathis à crier comme ça que je voyais mon père partout. Je crois qu'il comprend. Je ne peux pas changer subitement. J'ai passé ma vie aux aguets. Et puis, je ne dors pas bien depuis quelques jours. J'ai retrouvé cette sensation désagréable, celle qui me souffle qu'il peut faire irruption dans ma chambre à tout moment. Moi qui me croyais en toute sécurité ici, avec ma nouvelle famille… me voilà revenue à mes vieilles habitudes. J'imagine que c'est normal. J'avais oublié si facilement. Ça me frustre. Je venais à peine de commencer à respirer normalement. Un semblant de vie normale, loin de lui. Loin de sa violence. Il m'aura fallu partir jusqu'en Acadie pour comprendre qu'il n'y a rien de naturel dans ce que je vis.

Mathis est parti en ville avec son père. Lucas s'est mis en tête de repeinturer la maison. Il faut le faire régulièrement, semble-t-il, parce que l'air salin crée de l'érosion et abîme la couleur. Moi, je la trouve belle comme ça, notre maison. Mais je me vois déjà en train de peinturer la façade avec Mathis. Ça nous fera passer les journées. Non pas que je sois déjà tannée de la plage ou de nos excursions en bateau. J'aime quand nous partons au large et que je retrouve le calme de l'océan. Mais je n'ai jamais fait ça avant, peinturer une maison. Je n'ai jamais peinturé, en fait. Toutes ces petites choses qui pour eux semblent anodines sont pour moi des découvertes. C'est exaltant… et un peu triste en même temps.

Florence m'a montré comment faire des muffins ce matin. Malgré le fait qu'elle dit que j'y ai mis beaucoup trop de chocolat, moi je les trouve parfaits, mes muffins, parce que je les ai faits. Qui aurait cru qu'un jour, je me réveillerais avec la folle envie de faire la cuisine ?

Je profite du fait que la maison est calme et que tout le monde est occupé à sa petite routine matinale et je vole discrètement quelques muffins sur la table que j'enveloppe dans un linge à vaisselle propre. La journée est fraîche, alors j'enfile ma veste. La savoir sur mon dos me rassure, comme une vieille paire de pantoufles. Mon sac sur mon épaule, mes verres fumés, mes cheveux en chignon, je quitte le terrain furtivement. Je fais même le détour par le sous-bois. Comme ça, personne ne verra où je vais. Je suis nerveuse, je ne sais pas trop pourquoi. Le secret, sans doute. Mon estomac me chatouille, se tord de tous bords, tous côtés. Mais je souris.

Il faut que j'en parle à Mathis, qu'il sache, mais on dirait que le moment n'est jamais propice. J'aurais voulu attendre pour y retourner avec lui, mais j'ai promis de revenir bientôt, et je ne veux pas trahir ma promesse. Il avait l'air si démuni. Si seul. Et si triste...

Après quelques minutes de marche qui me semblent une éternité, j'aboutis sur le grand terrain. Les herbes, ici, sont hautes. Plus personne ne les entretient. Mais, çà et là, de petits chemins se sont creusés à travers elles jusqu'à la petite maison sur la falaise. Elle est beaucoup moins effrayante de jour, mais semble toujours aussi fragile, comme si un seul coup de vent pouvait l'emporter. Je m'arrête un instant pour admirer le tableau. Jamais avant je n'avais vu un endroit pareil, capable d'être désolant, mais aussi d'une beauté à couper le souffle. Toutes les herbes dansent autour de moi au rythme du vent. Les quelques arbres qui ont réussi à survivre semblent chambranlants, mais restent là, debout, fièrement. Autour de la maison, les fleurs sauvages ont envahi tout l'espace qu'elles ont pu. D'ici, on a sans doute la plus belle vue sur le golfe à des miles à la ronde. Tant de vie dans un endroit aussi abandonné. Ça me rend mélancolique.

Je sors de ma rêverie en entendant un jappement au loin. Les trois bêtes courent vers moi avec enthousiasme. Le plus gros,

Bucky, est si excité que je tombe presque à la renverse. C'est un berger britannique gris et blanc, touffu et énorme, à l'air sympathique. Les deux autres arrivent derrière lui. Lady et Crook. Ils sont si différents, je ne peux que me le rappeler. *Lady, c'est une golden retriever, une bonne chienne. L'autre, là, le petit, c'est un petit terrier. Je l'ai appelé Crook, parce qu'il a l'air d'un petit voyou, tu trouves pas ?* Je me fraye un chemin en les flattant pendant qu'ils tournent autour de moi en jappant, comme si je leur apportais de la saucisse fraîche. Je ris aux éclats. Mon propre rire me surprend. Je ne ris jamais comme ça, aussi fort. Aussi naturellement. Mon rire vient de loin en moi et semble envahir tout mon corps. Ça me fait frissonner.

Je vois au loin un vieil homme venir vers moi, marchant lentement à l'aide d'un grand bâton. C'est Louis. C'est lui, le fantôme. Mais il n'a rien d'un revenant. C'est juste un vieux monsieur solitaire.

— Ma petite Camille, tu es revenue me voir.

Il me fait un grand sourire et s'incline devant moi. Je suis prise d'un petit rire nerveux.

— Je voulais voir comment vous alliez, si vous étiez mieux. Et je vous ai apporté des muffins que j'ai faits ce matin.

Ses yeux semblent se remplir de larmes. Mais il continue de sourire, visiblement ému de ma visite. Ce sourire-là vient de faire ma journée. Il me dit de le suivre. *Viens! Viens, entre!* La première fois que je l'ai vu, il n'était pas aussi accueillant. Il ne doit pas avoir beaucoup de visites.

On m'a toujours dit de ne pas faire confiance aux inconnus. Mais avec Louis, c'est différent. Quelque chose en lui me ramène à moi-même. Je vois en sa solitude une âme sœur, comme si nous nous comprenions sans jamais nous être connus avant. Il n'a pas du tout l'air méchant. Il a simplement l'air triste. Je l'ai vu dans ses yeux lorsqu'il a baissé sa garde. Cette tristesse-là, je l'ai vue tellement souvent que je la reconnaîtrais dans les yeux de n'importe qui. Et puis les gens d'ici ne semblent pas fonctionner de la même manière qu'en ville. Ici tout le monde se connaît.

— Pendant un instant, j'ai cru que tu étais Caroline… qu'il m'a dit la première fois qu'on s'est rencontrés.

— Vous connaissez ma mère?

— Oui… enfin. Je l'ai connue, il y a longtemps. Je ne l'ai pas vue depuis bien des années. Avant même que tu sois née. Mais tu lui ressembles énormément, tu sais.

Ce jour-là, il m'a surprise en plein espionnage. J'étais sur la pointe des pieds en train d'essayer de regarder à l'intérieur de la maison. Pas une seconde je n'ai cru qu'elle pouvait être habitée. C'est Bucky qui m'a trouvée en premier et il n'avait pas du tout l'air d'apprécier que j'épie sa demeure. J'ai eu vraiment peur. Il est gros, Bucky. Et les chiens qui grognent ne sont pas le genre de choses dont j'aime m'entourer en général. Puis Louis est apparu au détour de la maison et l'a ramené à l'ordre. J'ai eu envie de me mettre à courir, vite, mais quelque chose dans la manière qu'il a eue de me regarder, figé, comme si c'était moi le fantôme, m'a clouée sur place. On est restés là, face à face, à s'observer sans trop savoir quoi dire, quoi faire. J'ai fini par briser le silence en m'excusant, en lui disant que j'étais curieuse de savoir qui pouvait bien habiter cette maison.

— Cette maison est ma demeure, jeune fille. Elle l'a toujours été. Si tu pouvais répandre la nouvelle en ville, ça me rendrait un énorme service. Chaque année, j'ai mon lot de p'tits morveux qui viennent casser mes vitres en pensant que ma maison est hantée.

— Elle ne l'est pas?

Il a souri d'abord. Puis il s'est mis à rire. Un rire rauque et usé, qui semblait n'avoir pas servi depuis bien des années. Un rire timide de vieux monsieur.

— Non, elle ne l'est pas. Crois-moi.

— Mais…

En voyant les chiens, j'ai compris le hurlement terrible que nous avions entendu cette nuit-là. Trois chiens qui jappent et hurlent à l'unisson, ça doit donner quelque chose de terrifiant pour deux adolescents qui ont des esprits maléfiques en tête. Ça doit aussi réveiller très mal un vieil homme qui s'est endormi devant sa télévision. Je me suis sentie ridicule. Ridicule d'y avoir cru, d'avoir laissé Mathis m'emporter dans ses niaiseries. Même si j'aurais voulu pouvoir élucider un grand mystère, la vérité me plaisait.

Il ne m'a pas invitée dans sa maison, cette journée-là. «Je m'en vais à la chasse», qu'il m'a dit. Je l'ai suivi sur la berge, curieuse de voir ce qu'il pouvait bien chasser d'inusité sur la plage. Ses trois chiens couraient partout autour de nous et défiaient les vagues. De temps à autre, je trouvais un bout de bois sur la rive et je le leur lançais afin qu'ils puissent me le ramener. J'avais vu cela tellement souvent dans des films, mais je n'avais jamais joué avec un chien avant.

Le soleil était cruellement chaud et Louis devait s'aider d'un grand bâton pour marcher. Il allait lentement, avec une patience et une détermination qui me fascinaient. Il m'a beaucoup parlé durant notre escapade. On aurait dit qu'il ne pouvait s'en empêcher, comme si ça lui faisait du bien d'avoir enfin une oreille attentive. Tout en discutant, il scrutait le sol minutieusement. Puis, à un moment, il s'est arrêté et a ramassé quelque chose par terre.

— Ah! Voilà ce que nous cherchons! Donne-moi ta main.

Je lui ai tendu la main et il y a déposé un petit objet. On aurait dit une pierre précieuse, un saphir, bleu foncé et translucide. Elle était toute chaude dans ma main et parfaitement polie. J'étais abasourdie.

— Wow… qu'est-ce que c'est?

— C'est du verre de mer. C'est très rare que j'en trouve de cette couleur-là, tu es chanceuse. Le destin fait de drôles de choses, des fois.

— Du verre de mer? Vous voulez dire que ça vient de l'océan?

— Si on veut. Il y en avait beaucoup plus avant. C'est ce que la nature fait des récipients en vitre qui sont jetés au large. Comme des bouteilles par exemple. Ils se fracassent contre les rochers et le sel de la mer, le sable les polissent et les rejettent sur la plage. On appelle ça du verre de mer. Et les plages ici en sont remplies. Mais il faut avoir l'œil.

Nous avons chassé le verre de mer ensemble. J'ai réussi à en trouver un peu, mais rien d'aussi beau que le bleu que Louis avait trouvé. Mes trouvailles étaient toutes vert émeraude et petites. Parfois, il en trouvait qui n'étaient pas de son goût. Alors il les lançait dans l'océan. «La mer a été paresseuse avec celle-là.» Il disait cela avec le plus grand sérieux.

Au bout d'un moment, il a semblé épuisé. Il s'est mis à tousser beaucoup, à manquer de souffle. Je lui ai demandé si ça allait bien. Il m'a simplement annoncé que le temps était venu pour lui de rentrer à la maison, que ce n'était qu'un petit rhume d'été. J'ai marché avec lui jusqu'à la petite maison en l'aidant un peu à grimper l'escalier de vieux bois caché par la falaise. Mais il a dû souvent faire un arrêt, pris à nouveau par une violente quinte de toux. Avant de le quitter, je lui ai tendu sa pierre précieuse.

— Garde-la. C'est un cadeau. C'est pour te remercier de m'avoir accompagné, aujourd'hui.

— Merci beaucoup, monsieur.

— Louis. C'est Louis, mon nom. Et tu peux revenir me voir, si tu veux. Je suis pas sorteux.

— Je reviendrai, bientôt, je vous le promets.

J'ai mis le verre de mer dans la poche de ma veste, comme un trésor. Avant que j'aie le temps de faire plus que quelques pas, il s'est arrêté dans l'embrasure de la porte.

— Camille ? Si tu veux bien, ne dis pas à ta grand-mère que tu es venue ici. Je ne pense pas qu'elle serait contente.

J'ai hoché la tête sans trop réfléchir.

- Elle se rend à la maison abandonné

- C'est trois jolis chiens qu'il y avait et un vieil homme

- Ils ont cherché sur la plage du verre de mers

– Treize –

Le vieil homme s'appuya sur la rampe d'escalier et regarda la voiture de police partir au loin. Il n'avait pas vu de voiture comme celle-là du côté de chez Lucy depuis bien longtemps et ça n'augurait rien de bon. Il entra en vitesse dans sa maison. Il pouvait sentir son cœur battre la chamade dans sa poitrine, des sueurs froides dans le dos. Il ouvrit la petite pharmacie au mur et en sortit un petit contenant bleu. En tremblant, il réussit à y prendre une petite pilule blanche qu'il laissa fondre sous sa langue. Il prit place sur le fauteuil le plus proche et attendit que le cachet fasse effet. Il détestait quand son cœur lui faisait ça. Bucky, son chien, vint vers lui et posa sa tête sur ses genoux pour le calmer. Il lui flatta la tête tranquillement.

L'homme que Camille connaissait sous le nom de Louis n'aimait pas les forces de l'ordre. Il n'avait aucun respect ni aucune confiance en eux. Il avait trop eu affaire avec eux dans le passé. Il ne partageait pas leur vision des choses, même si leur cause était noble. Il espérait qu'il ne les verrait pas débarquer chez lui. Il n'y avait rien de compromettant dans sa maison, mais il savait que d'une manière ou d'une autre, les inspecteurs réussiraient à établir un lien entre lui et la petite Camille. Il en était certain.

— Fais-t'en pas, Bucky. Ils sont partis, les policiers.

Il réussit à se lever péniblement et attrapa son imperméable et son bâton de marche. Il laissa les chiens dans la maison. Ils risqueraient de faire du bruit et d'attirer l'attention pour rien. L'air humide semblait pénétrer dans ses os et rendait ses articulations douloureuses, mais il se mit tout de même à marcher vers le sous-bois. Un peu plus loin, sa vieille voiture était cachée par des arbres. Il n'en avait pas besoin pour l'instant. Pourtant, il le savait, il allait devoir se rendre en ville plus tard dans la journée. Peut-être en profiterait-il pour arrêter au port. Si la police rôdait du côté de chez Lucy, quelqu'un quelque part devait savoir pourquoi. Ça le rassurerait de savoir. Il aimait voir venir les choses. À son âge, mieux valait prévoir.

Il essayait de ne pas s'en faire, mais il ne pouvait s'empêcher de revoir ce qu'il avait fait, ses gestes. Il tenta de chasser sa culpabilité, mais il en était incapable. Un jour, il n'en doutait pas un instant, il finirait par en payer le prix. Il n'avait jamais cru au karma, mais il restait un fervent croyant. Il savait que les portes du paradis ne s'ouvriraient pas facilement pour lui.

Le calme du sous-bois l'apaisa un peu. Il aimait se retrouver là. Il n'y venait plus souvent depuis quelque temps. Non pas qu'il n'en ressentait plus le besoin, c'était surtout parce qu'il était devenu paresseux avec le temps. Il préférait marcher sur la plage où il pouvait laisser ses chiens courir à leur guise.

Après quelques minutes de marche, il arriva à destination. Il regarda autour pour s'assurer qu'il était bel et bien seul. Depuis que le bruit courait que les environs étaient hantés, il lui arrivait souvent de surprendre des petits garnements dans les parages. Il leur faisait peur, la plupart du temps. Aujourd'hui, il n'avait pas envie d'être dérangé.

Il tassa les branches et les feuilles mortes qui parsemaient la petite statue et balaya le sol avec ses pieds et à l'aide de son bâton de marche. Il fouilla dans sa poche et en sortit un petit lampion. Après plusieurs tentatives, il réussit à l'allumer avec son vieux briquet métallique. Il le posa au pied de l'effigie de la Sainte Vierge qui se dressait devant lui. Il l'avait installée là, bien des années auparavant. La peinture qui la recouvrait, jadis, avait fini par s'estomper. Elle était presque toute blanche maintenant. Le temps et l'air salin avaient fini par faire leurs ravages sur elle, mais il ne s'en souciait pas. En fermant les yeux, il pouvait toujours se l'imaginer telle qu'elle avait été.

En s'appuyant sur son bâton, il posa un genou par terre et effectua un petit signe de croix en fermant les yeux. Les mains jointes sur son bâton, il récita une prière à la Madone en pesant chaque mot. Il pria ensuite un bon moment en silence.

— Mon Dieu, pardonnez-moi pour ce que j'ai fait.

- Louis voit une voiture de police et il n'aime pas ça
- Louis veut se rendre en ville
- il a fait quelque chose qu'il n'est pas fier d'avoir fait

24 juillet

Finalement, il n'y a absolument rien d'idyllique à peinturer une maison. C'est même assez ennuyeux. Et puis Mathis est de mauvaise humeur, alors il n'est vraiment pas de bonne compagnie. La chaleur est insupportable et j'ai l'impression qu'on avance lentement. Ça va être beau, par exemple.

Au bout d'un moment, je me suis tannée, j'ai été chercher le vieux baladeur de ma mère et je me suis mis de la musique dans les oreilles. Ça m'isole, mais ça me fait du bien de me retrouver dans ma tête un peu. J'ai beau avoir de grands moments de solitude depuis que nous sommes ici, je ne me sens jamais tout à fait seule. Du moins, jamais assez pour laisser mes pensées aller et faire le vide. J'ai toujours les événements des dernières semaines qui me reviennent en tête. Mes pensées vont d'un bord et de l'autre. Quand je réussis à en chasser une, il y en a une autre qui apparaît. Quand je pars dans la musique, je réussis à tout oublier. Je fais abstraction de ce qui m'entoure et je ne vis plus que dans les notes. Et mon pinceau va d'un côté, de l'autre, au rythme des mélodies. Et je chante tout bas, je mime les paroles. Je suis ailleurs. Un jour, je prendrai le bateau de Lucas et j'irai écouter de la musique à tue-tête dans mes oreilles, au milieu de nulle part. Il me semble que ça me ferait du bien.

Je ne sais pas ce que Mathis a. Il fait la gueule. C'est à peine s'il me regarde depuis deux jours. J'espère juste que ce n'est pas de ma faute. Jusqu'ici, je n'avais jamais vu ce côté-là de mon cousin. Je ne suis pas certaine d'aimer ça. Pourvu que ça ne dure pas. C'est le seul ami que j'ai vraiment, je ne voudrais pas le perdre déjà. Ce serait trop dur. Pour la première fois de ma vie, je fais confiance à quelqu'un. J'ose. Je ne crois pas m'être trompée sur son compte, mais je ne sais plus quoi croire. Ma vie est tellement bizarre depuis quelque temps. Je me réveille encore chaque matin avec l'étrange impression que tout ça pourrait n'avoir été qu'un rêve. J'ai peur d'ouvrir les yeux et de découvrir que je suis sur mon vieux matelas, dans ma chambre bordélique, dans mon enfer, là-bas. Loin. Avec lui.

Je prends une pause. Je me sens sale et je sue à n'en plus finir. Je devrais me mettre de la crème solaire, un chapeau, n'importe quoi. J'ai l'impression d'être en train de rôtir sur place. En enlevant les écouteurs, j'entends Mathis se chicaner avec mon oncle un peu plus loin. *J'suis pas ton esclave! Ça m'tente pas de passer mon été à travailler! Déjà que j'ai pas vu mes amis depuis qu'eux autres sont arrivés!* Il doit parler de nous. C'est pour ça qu'il est en colère.

J'entre. Il y fait un peu plus frais, je suis un peu mieux. J'ouvre le frigo pour me prendre un verre de limonade que ma tante a faite plus tôt dans la journée. Je réalise que mes mains tremblent. J'arrive à peine à tenir le verre dans ma main. C'est la première fois que j'entends crier depuis que nous sommes ici. Mon corps réagit d'instinct. Et puis je suis toute à l'envers. Je pensais que Mathis et moi formions un duo. Je ne voulais pas l'empêcher de voir ses amis. Je n'ai jamais voulu déranger.

Ma mère apparaît avec son uniforme de travail. Elle a l'air en pleine forme, comme si elle avait rajeuni de dix ans en quelques jours.

— Ça va, ma puce?

Je hausse les épaules. Je n'arrive pas à dire quoi que ce soit. Je ne sais même plus quoi penser. Elle s'approche de moi et me donne un petit bec sur le front. Ça me donne automatiquement envie de pleurer. Je cale mon verre de limonade en vitesse et je me sauve à l'extérieur. Lucas et Mathis sont toujours en train de s'engueuler. J'essaie de les ignorer. Je remets les écouteurs sur mes oreilles et je monte le son au maximum. Je ne veux plus rien entendre. Je reprends mon pinceau et je m'exécute avec ferveur. Je me défoule sur le bois de la maison.

À quoi est-ce que j'ai bien pu penser? Il n'y a rien de réglé. Je suis toujours la même Camille. Ces dernières semaines n'auront été qu'une pause. Une illusion. Je suis toujours aussi seule. Je me suis laissée croire que c'était mieux ici, mais c'est faux. D'une manière ou d'une autre, je finis quand même déçue.

Je repense à monsieur Louis, tout seul dans sa maison. Il a peut-être compris quelque chose. Il vaut sans doute mieux vivre en solitaire, coupé du monde, que d'y faire face. Pourtant, il a l'air si triste. Si seul.

— Vous avez pas de famille? que je lui ai demandé.

— J'en ai déjà eu une. Autrefois… ça fait longtemps.

Il a regardé au loin, comme s'il pouvait voir ses souvenirs apparaître devant lui. Il a froncé les sourcils, les yeux remplis de tristesse.

— Qu'est-ce qui s'est passé?

— La vie, ma belle Camille. La vie s'est passée. J'ai fait des gaffes et je paye pour, aujourd'hui.

— C'est triste.

— C'est mérité.

Après, il a semblé fatigué. Je ne suis pas restée longtemps. Je l'ai laissé avec son vague à l'âme et sa tristesse. Mais ça m'a brisé le cœur de le voir dans cet état-là. Que pouvait-il bien avoir fait pour finir sa vie comme ça, sans personne ? Est-ce pour cette raison qu'il m'avait demandé de ne pas parler de notre rencontre à Mams ? Peut-être est-elle au courant de quelque chose. Si seulement je pouvais en parler à quelqu'un.

Je m'arrête un instant pour réaliser que j'ai déjà fini toute la devanture de la véranda. Je sens une main sur mon épaule. Je sursaute en arrachant mes écouteurs.

— Wow, tu avances vite !

C'est Mathis. J'essaie de ne pas le regarder dans les yeux. Je soulève mes épaules, comme si ce que j'avais accompli était banal, une autre corvée de plus. J'agrippe le pot de peinture et mon pinceau et je contourne la maison sans lui répondre.

— Qu'est-ce que t'as ?

Il me suit. J'aimerais mieux qu'il s'en aille. Je n'ai pas envie de lui parler.

— Rien.

— J'te crois pas.

Je m'arrête sec et je me retourne vers lui avec l'étrange envie de lui lancer le contenu de mon pot dans la figure.

— T'es ben fatigant ! J'te dis que j'ai rien !

Je remets mes écouteurs et j'entame le côté nord de la maison.

- Elle peint la maison avec Mathis
- Elle croit que Mathis est faché contre elle
- Mathis et Lucas st chicanne et il *

* n'est pas content, car il n'a pas vu c'est amis depuis qu'elles sont arrive

30 juillet

Je rince. Je frotte. Je mets l'assiette dans le plateau. Je recommence. Quand le plateau est plein, je l'enfonce dans la machine, pèse sur le bouton. J'attends. Je sors le plateau. J'empile les assiettes bouillantes. Je recommence.

Je rince. Je frotte. Je mets l'assiette dans le plateau.

Je veux mourir.

J'essaie d'éponger la sueur de mon front avec un bout de ma manche qui n'est pas tout à fait détrempé. Ça ne fonctionne pas vraiment. J'ai chaud. Je pue. Et je déteste cet endroit. *Oui, mais penses-y, ma puce. Tu vas avoir plein d'argent de poche.* J'aurais dû me méfier de l'enthousiasme de ma mère. C'est sans aucun doute le pire boulot que je pouvais me trouver. Laveuse de vaisselle chez Trixie Dee. J'aimerais mieux éventrer des carcasses de poisson pourri.

L'autre fille qui travaille avec maman a l'air vraiment satisfaite de mon travail. Elle m'a même avoué que j'étais la meilleure plongeuse qu'elle avait vue depuis des années. Moi, je ne me trouve pas efficace. Chaque fois que j'ai l'impression de voir le bout de la montagne de vaisselle sale, il y a une nouvelle pile qui se rajoute. Et le gros monsieur dans la cuisine qui n'arrête pas de m'apporter ses chaudrons dégueulasses, tout collés. Je passe des heures à gratter le fond de ses recettes de sauces puantes. En plus, il n'a même pas la gentillesse de m'adresser un sourire. Et il m'appelle *Fille*. Comme si *Camille*, c'était très difficile à retenir. Je le jure, s'il entre encore une fois dans la salle minuscule qui me sert d'espace de travail en m'appelant *Fille*, je me mets à hurler.

Je sors le plateau bouillant de la machine et j'essuie chaque verre un à un, pour bien les sécher. Sinon, l'eau les tache et ma mère va tous me les rapporter dans une heure. Tout ce que je veux, c'est m'en aller au plus tôt. Je regarde l'horloge graisseuse au-dessus de l'entrée de la cuisine. Si je garde le rythme, d'ici une demi-heure, je serai une fille libre. Le gros rush du lunch est terminé. Ces bacs remplis sont probablement les derniers qu'on m'apporte. Je soupire, relève mes manches et je me mets à la tâche.

La radio se met à jouer une chanson que j'aime bien, qui me met de bonne humeur. Je monte le son. Pas trop pour ne pas que la musique parvienne aux clients, mais assez pour que le rythme m'entraîne. Et je danse en effectuant ma tâche machinalement. Dehors, le soleil est chaud et bon. Il y a une de ces brises divines en permanence qui fait en sorte que, malgré le soleil intense, il ne fait pas trop chaud. En sortant d'ici, je vais enfourcher mon vélo et aller me jeter dans la baie des Chaleurs. Je vais m'étendre sur le sable confortable et je vais lire le roman que je me suis acheté hier au bazar de l'église. C'est au moins ça, l'avantage d'avoir un peu d'argent de poche.

Et puis sortir de la maison m'a fait du bien. Je commençais à m'ennuyer là-bas. En plus, Lucas, impressionné par mon travail sur la devanture de la maison, s'était mis en tête de me faire repeindre les bardeaux du toit. Je me serai au moins épargné ça. C'est Mathis qui est obligé de le faire maintenant, à son grand désarroi.

Je ne travaille au resto que depuis quelques jours. Déjà, les gens du coin commencent à me connaître. Il n'y a pas souvent de nouveaux arrivants ici, à part la horde de touristes estivaux qui viennent profiter du littoral. Je me suis donc vite démarquée. Mathis a dit au souper que plein de ses amis lui avaient parlé de moi en ne sachant pas que j'étais sa cousine. Il semblait trouver ça drôle. Pour eux, je suis comme une extraterrestre fraîchement débarquée de la grande ville.

Hier, il y avait un grand bazar organisé à l'église. J'ai décidé d'aller faire un tour et de dépenser un peu de l'argent que je venais de gagner. Guy, le patron du Trixie, me paie en argent comptant à la fin de chaque journée. Ce n'est pas très légal, mais ça ne fait de mal à personne. En plus, chacune des serveuses me donne une petite partie de ses pourboires pour me remercier de débarrasser les tables quand elles sont trop occupées.

En plus de quelques livres, quelques disques, j'ai fait l'achat d'un vélo. Rien de neuf ni de très beau. Mais il est à moi. Mathis pourra retrouver le sien. Je suis désormais indépendante. J'ai demandé au gentil monsieur de bien vouloir me le garder. Comme je voyageais déjà avec celui de Mathis, je n'avais aucun moyen de ramener deux vélos toute seule à la maison. Je dois aller le chercher aujourd'hui, après le travail.

Je rince. Je frotte. Je mets l'assiette dans le plateau presque plein et je l'enfonce dans la machine. J'essuie le lavabo, le comptoir. J'apporte un cabaret rempli de verres propres à l'avant. J'observe l'horloge. Il est 14 heures 20. Il ne me reste qu'à passer un petit coup de balai, un coup de vadrouille. Et je suis une fille libre… jusqu'à demain matin. Ma mère est assise au comptoir, l'air épuisée, mais heureuse. Elle sirote un café en lisant le journal. Je tape dans la main qu'elle soulève. *Good job, ma puce! C'était un dimanche occupé.*

J'observe le travail que je viens d'effectuer sur le plancher de la plonge. Impeccable. Je commence à être bonne. Pas une seule fois aujourd'hui je n'ai eu besoin de poser une question à qui que ce soit. Je sais la place de chaque chose, comment fonctionne le resto. J'ai sans doute encore beaucoup à apprendre. Mais je suis satisfaite. Je prends mon sac et je vais dans la toilette des employés pour me changer. Je me lave le visage, j'enlève mon t-shirt tout mouillé. J'enfile ma robe d'été, mes collants noirs. Je déteste avoir à les mettre, mais je ne veux pas que tout le village voie les cicatrices sur mes jambes. Les gens poseraient des questions. Il fait trop chaud pour mettre ma veste. Je l'attache autour de ma taille, saisis mes lunettes de soleil et me dirige vers le bureau de Guy, le propriétaire.

— T'es pas mal bonne, ma p'tite Camille. C'est quasiment une bénédiction que c'te bon à rien là nous aye lâchés!

Il me tend quelques billets et me souhaite une bonne journée en me souriant. Il se rachète pour le cuisinier. Je passe par-devant pour saluer ma mère. Elle fait un double aujourd'hui, ce qui veut dire qu'elle ne rentrera qu'après le souper. Ça ne semble pas la déranger. Je crois que ça lui fait du bien de travailler, de voir du monde. Et puis elle veut amasser le plus d'argent possible d'ici la fin de l'été. Elle ne veut pas se remettre sur l'aide sociale. Et je crois qu'elle n'a pas l'intention qu'on reste chez Mams encore bien longtemps. Même si les choses vont plutôt bien, je vois qu'il y a encore une tension entre les deux.

Je sors au grand jour. L'après-midi est splendide. Hormis quelques nuages cotonneux, le ciel est bleu à perte de vue. Je fouille dans mon sac pour trouver mon vieux baladeur, mais j'ai à peine le temps de descendre les marches du restaurant que je me fais interpeller.

— Hey! *Mystery girl!*

Il est là, assis sur une des tables à pique-nique devant le restaurant. Je me sens rougir instantanément. C'est la deuxième fois qu'il m'attend après mon quart de travail au restaurant. Avec ses cheveux blond cendré qui tombent devant ses yeux, sa petite camisole noire, son short trop grand, il a quelque chose d'irrésistible. De trop beau pour être vrai. À l'école que je fréquente en ville, aucun gars comme ça n'aurait porté attention à moi. Il ne m'aurait même pas remarquée. Mais lui, dès qu'il m'a vue pour la première fois, quelques jours auparavant, il n'a pas pu s'empêcher de venir me parler.

— Salut, Kevin.

J'ai enfilé mes verres fumés le plus naturellement du monde et je me suis mise à marcher en tentant de l'ignorer. Rien à faire. Il a sauté sur ses pieds et a couru à ma rencontre.

— C'est pas *fair*. Tu sais mon nom, mais moi, je connais pas le tien.

— C'est parce que je te l'ai pas dit.

Il me suit. Il marche à mes côtés, l'air confiant, presque arrogant. Il est plus grand que moi, plus mince. Mais quelque chose dans sa maigreur le rend très beau. C'est la première fois que je me permets d'utiliser le mot. Ça m'effraie. Je n'ai pas envie de m'intéresser à un garçon, pas maintenant. Je ne lui fais pas confiance. Si je peux, je resterai célibataire toute ma vie. J'ai vu ce que l'amour a pu faire à ma mère, il est hors de question que ça m'arrive à moi aussi.

— *Come on !* Dis-moi au moins comment tu t'appelles, que je puisse mettre un nom sur ton visage.

Je ris nerveusement. Je respecte son entêtement, mais ce petit jeu me plaît. Plus que je ne voudrais l'admettre. Je l'ai vu pour la première fois en me rendant à la bibliothèque de la ville. Je voulais aller sur internet. Aucun service ne se rend chez Mams et je voulais faire une recherche sur monsieur Louis, essayer d'en savoir un peu plus. Rien. Un échec total. En fait, sur la région, à part quelques pages web pour les touristes, il n'y a pas grand-chose sur la toile, comme si la région avait évité d'entrer dans l'ère technologique. Je retournais chez nous bredouille quand je l'ai vu à la sortie du bâtiment municipal. Il était là avec quelques-uns de ses amis à s'amuser sur leur *skateboard*. Il est tout de suite venu me parler, le plus naturellement du monde, comme s'il n'y avait rien de gênant à parler à une inconnue. *Moi, c'est Kevin*, qu'il m'a dit. *Kevin Doiron. Je t'ai jamais vue ici.*

Au bout de quelques questions, j'ai fini par lui avouer que je travaillais au Trixie Dee. Il m'a regardée avec un grand sourire.

— *See !* Ce n'était pas très compliqué.

Je ne l'ai revu que la veille, alors qu'il m'attendait à la sortie du travail. Il voulait m'inviter à un party sur la plage, près de chez lui. J'ai refusé poliment. Maman ne me laisserait sans doute jamais y aller. Mams encore moins. Peut-être que si je pouvais convaincre Mathis de venir avec moi, mais nous n'avons pas vraiment passé de temps ensemble depuis une semaine. Ça vaut mieux comme ça, sans doute.

— Où est-ce que tu t'en vas ?

— Chez monsieur Savoie. Il m'a vendu un vélo au bazar, hier. Je m'en vais le chercher.

— Tu connais monsieur Savoie, hein ? Qui d'autre tu connais comme ça ?

— Plein de monde. Tu veux que je te fasse la liste ?

— *Mystery girl !* Fais à ta tête.

Je continue de marcher. D'un côté, je veux juste qu'il s'en aille. De l'autre, je ne déteste pas sa présence. Il a un petit quelque chose de rassurant. Pas comme Mathis. Je n'arrive pas à expliquer ce qu'il me fait ressentir. De drôles de papillons dans le bas de mon ventre.

— Tu vas me suivre longtemps comme ça ?

— Je te suis pas. La rue est à tout le monde. Ça adonne juste que je marche dans la même direction que toi.

J'ai le goût de croire à son jeu de séduction, de ne pas me méfier. Mais tout en moi me dit de ne pas embarquer dans sa gamique, même si ça me fait plaisir de me sentir importante. J'ai l'impression d'exister pour quelqu'un. L'impression d'être une fille normale.

— As-tu repensé à mon invitation ?

— J'ai pas vraiment eu le temps d'y penser, non. Mais tu sais, j'suis pas censée accepter les invitations d'un étranger.

— J'suis pas un étranger ! Demande-moi ce que tu veux, je vais te le dire. Moi, tout ce que je veux, c'est te connaître.

Sauvée par la maison de monsieur Savoie. Je tire ma révérence à Kevin. Il n'osera pas me suivre jusque-là.

— *Please !* Juste ton prénom, au moins. Donne-moi quelque chose !

J'hésite un instant. Mais je n'arrive pas à faire disparaître le sourire qui vient d'envahir mon visage. Je me retourne vers lui.

— C'est Camille. Je m'appelle Camille.

Il lève les yeux au ciel et fait semblant d'attraper mon nom en sautant dans les airs. Il porte ses mains à sa poitrine en fermant les yeux! Il sourit comme un petit garçon qui vient de goûter à du chocolat pour la première fois. Il est craquant. Je me retourne vers la maison et cogne à la porte.

— *I'll see you around,* Camille!

Quand je retourne à la rue, mon nouveau vélo au bras, il a déjà disparu. J'aurais presque souhaité qu'il soit encore là. J'ai essayé de faire le plus vite que j'ai pu, mais monsieur Savoie avait de la jasette. Je ne sais pas ce qu'ils ont tous par ici à me raconter leur vie. C'est comme ça avec tout le monde. Si tu oses leur poser une question, ils se mettent à parler, parler, parler, comme si on ne les avait jamais écoutés auparavant. Je soupire intérieurement. Peut-être que demain, il sera encore là, assis sur la table à pique-nique après mon quart de travail. Peut-être que je devrais en parler à Mathis.

J'enfourche mon nouveau vélo. Il a besoin d'être huilé, c'est clair. Mais je réussis à bien m'en tirer, je m'adapte. En arrivant à la maison, je demanderai à Lucas d'y jeter un œil. J'hésite entre rentrer chez moi ou aller à la plage. Je choisis la première option. La journée est belle. J'ai envie de passer du temps avec Mathis, de lui raconter tout ce que je n'ai pas réussi à lui raconter ces dernières semaines. J'ai envie qu'il m'emmène au large. C'est la journée idéale pour ça. L'air est trop bon. Je me sens heureuse.

Je pédale depuis déjà un bon moment en savourant chaque respiration. Les routes sont presque désertes à cette heure, comme si les gens préféraient passer leur beau dimanche après-midi à la maison. D'instinct, quand je sens une voiture arriver derrière moi, je me tiens sur le bord de la route. Les gens roulent vite dans le coin. Mais quelque chose cloche. Je commence à sentir quelque chose de pas normal. Je regarde le camion sur la route derrière moi. Je me tasse sur le côté de la route pour le laisser passer. Mais plus je pédale, plus je réalise qu'il ne me dépasse pas. Il ralentit. Et il me suit.

Mon cœur se met à battre. Je tourne sur une petite route avec l'espoir que ce soit dans ma tête, tout ça. Ça me fait faire un détour, mais je n'aime pas me sentir épiée. Je roule un moment, seule sur la route. Mais aussitôt que je me retourne, je vois le camion tourner le coin et continuer dans ma direction. C'est lui. J'en suis certaine. C'est le camion de mon père. Je le reconnaîtrais à des milles à la ronde. La peur me prend à la gorge. C'est impossible. Il ne peut pas être ici. Il ne peut pas nous avoir retrouvées. C'est insensé.

Je me mets à pédaler à toute vitesse, de toutes mes forces. Je prends un virage à la dernière minute. Une petite route qui mène plus près de chez moi, mais qui n'est presque jamais fréquentée. Plus j'avance, plus j'ai l'impression de m'isoler. Je dois trouver un moyen de retourner sur la route principale. Trouver un moyen de le semer. J'hésite un instant à entrer dans le ciné-parc qui se trouve un peu plus loin sur ma droite. Mais rendue là, je serais carrément prisonnière du terrain. Aucun moyen de savoir si Stephan sera là ou non. Il est encore tôt. Je me retourne pour constater que le camion continue de me suivre. J'ai envie de pleurer.

C'est sûrement une coïncidence, juste un camion qui ressemble au sien. Ça ne peut pas être lui. Puis soudain, ça me frappe. Je suis en train de l'attirer directement chez nous. S'il continue de me suivre, il saura exactement où nous habitons. Je panique. Je ne sais plus quoi faire. Je dépasse le ciné-parc. Trop tard pour cette option. Je continue de pédaler, à bout de souffle. J'ai l'impression que mon nouveau vélo va s'écrouler sous moi. Et le foutu camion qui se rapproche. Je vois une ouverture devant moi, je tourne à droite. Je connais ce chemin. C'est celui que Mathis nous faisait toujours prendre en revenant du port. Un peu plus loin, trop loin à mon goût, il y a un petit chemin qui passe par la forêt. Il ne pourra pas me suivre sur ce sentier-là.

Je le sens se rapprocher derrière moi. J'ai envie de m'arrêter sec, de lui faire face, mais mon instinct me dicte de continuer à pédaler. S'il est là, s'il nous a retrouvées, ça ne présage rien de bon. Je vois l'entrée du sentier un peu plus loin sur ma gauche. En tournant, je manque de tomber, je vais trop vite. Je réussis à me faufiler parmi les arbres et je m'immobilise. Je retiens mon souffle. J'entends le moteur du camion. Il ralentit à l'entrée du sentier, il s'arrête presque. J'essaie de voir le conducteur, mais le soleil se reflète sur le pare-brise, je n'arrive pas à voir. Est-ce lui ? Qu'est-ce que ça veut dire ? Puis le camion continue sur la route. Bientôt, je n'entends plus rien. Juste les oiseaux. Une cigale se met à chanter.

Je monte sur mon vélo et je me remets à pédaler tant bien que mal sur le sentier de terre sinueux. Je sais que dans quelques minutes, j'aboutirai sur la route qui mène chez nous. Mais les secondes semblent s'éterniser. Et mon cœur qui bat à tout rompre. Si c'est lui… si c'est bien lui, il a désormais la confirmation que nous sommes là. Il n'a plus à chercher bien loin.

- Elle travaille au Trixie Dee elle y fait la vaisselle
- Elle a rencontré Kevin
- Son père la suit en camion quand elle est en vélo

– Quatorze –

Kevin comprit bien vite que quelque chose se passait quand il alla au Trixie Dee et se rendit compte que ni Camille ni sa mère n'étaient là. Pour la première fois depuis le début de l'été, il entra dans le petit restaurant. Une petite serveuse brune le regarda, l'air triste.

— Ah, mon pit, est pas là, Camille. Je sais pas si elle va revenir.

Elle n'en savait pas plus. Il ressortit, les épaules basses. Pendant un moment, il resta assis sur la table à pique-nique, comme s'il refusait de croire qu'il ne la reverrait pas. Il n'avait aucune idée d'où elle habitait, encore moins quel était son nom de famille. Il n'avait aucun moyen de la joindre. C'était devenu leur jeu, leur truc juste à eux. Il s'en voulait désormais de ne pas avoir insisté. Il venait de comprendre son attitude de la veille. Il aurait dû saisir tout de suite ce qu'elle essayait de lui dire. Mais il était toujours trop heureux de passer du temps avec elle, il ne l'avait pas laissée parler. Il n'avait rien voulu voir. C'était clair maintenant.

Il était tranquillement évaché sur le sofa, un mauvais film passait à la télé. Il avait essayé de lire le livre que Camille lui avait donné, mais sa tête était ailleurs. Il n'arrivait pas à se concentrer. La sonnette de la porte, au son agressant, se mit à faire écho dans la maison avec insistance. Son cœur arrêta de battre. *Camille!* Il se leva d'un bond et se précipita vers la porte en tentant d'arranger ses cheveux sales dans une position convenable. La déception dut se voir sur son visage quand il ouvrit la porte. Mais il n'eut pas le temps de dire ou de faire quoi que ce soit, Mathis se précipita sur lui, le prenant par le collet. En une seconde, il se retrouva adossé au mur, le visage de Mathis déformé par la colère à quelques centimètres du sien.

— L'as-tu vue? Est-ce qu'elle est ici?

— Whoa, *man*! De quoi tu parles?

— Camille! J'te parle de Camille, ma cousine!

— Camille? T'es le cousin de Camille?

En voyant l'incrédulité de Kevin, Mathis desserra son étreinte, réalisant la violence avec laquelle il venait de faire irruption chez lui. Celui-ci resta figé sur place, essayant de mettre les morceaux du casse-tête d'un bout à l'autre.

— T'étais pas au courant?

Il secoua la tête. Elle ne le lui avait jamais dit. Elle avait conservé le mystère, jusqu'à la fin. Elle n'avait pas menti. Elle avait juste évité la vérité. Elle l'avait fait exprès. Moins il en saurait sur elle, plus il serait facile de ne pas lui briser le cœur. Et il s'était contenté de ça.

— Au resto, ils ont dit qu'elle ne rentrerait sûrement plus.

— Et à toi, elle a rien dit ?

Elle lui avait dit plusieurs choses. Mais Camille parlait tout le temps de tout et de rien. Elle évitait toujours de parler d'elle, malgré ses questions. Il n'avait pas cherché à en savoir plus. Elle n'avait apparemment pas envie d'en discuter, il ne voulait pas lui forcer la main.

— Qu'est-ce qui se passe ?

Mathis se laissa tomber sur le canapé. Il réalisa qu'il avait dû arriver comme un cheveu sur la soupe. Il n'était pas venu ici depuis longtemps. Au primaire, Kevin et lui avaient été amis. C'était il y a longtemps. Maintenant, Kevin fréquentait un collège privé à Caraquet et ils s'étaient perdus de vue. Ils se croisaient, parfois, à la plage.

— Je l'sais pas. Elle est disparue. Personne a de nouvelles d'elle depuis hier, personne l'a vue.

Kevin reçut la nouvelle comme un coup de poing. Il se laissa tomber à son tour sur le sofa en face de Mathis. Les deux restèrent là, en silence. *Disparue ?*

— Il se passe quoi entre vous deux, au juste ?

Kevin haussa les épaules. Lui-même ne savait pas comment définir leur relation. Il savait seulement que, dès qu'il l'avait aperçue sortant de la bibliothèque ce jour-là, avec sa veste verte, ses bottes à moitié attachées, ses cheveux roux dans tous les sens, il avait voulu la connaître. Elle avait eu le même effet sur lui qu'une flamme pour un papillon de nuit. Il ne savait rien d'elle, pas même son nom au début. Mais le destin l'avait mise sur sa route pour une raison. Il en était certain.

Il ne se passait jamais grand-chose dans le coin. Les étrangers ne restaient généralement que quelques jours. Les autres jeunes de son âge travaillaient pour la plupart au port pour l'été, ou à l'usine de tri. Les plus chanceux réussissaient à se faire engager par Stephan au ciné-parc. Lui, il passait son été à errer dans les environs, son *skate* sous le bras, quelques amis de convenance. Son père l'envoyait à l'école privée à Caraquet. Il n'avait donc que peu d'amis dans les environs. Et sa sœur était devenue insupportable après sa puberté. Camille était un vent de fraîcheur, une différence notoire dans le décor terne qu'il connaissait par cœur. Elle était celle qu'il attendait, depuis des années. Il n'avait jamais soupçonné que Mathis avait une cousine, encore moins qu'elle vivait dans le coin. Pendant des jours, il l'avait épiée de loin, il l'avait suivie. Jusqu'à ce qu'il ait le courage de lui adresser la parole à la bibliothèque…

— Je sais pas trop. Je sais rien d'elle, dans le fond. Je comprends pas…

Disparue. Il n'arrivait pas à saisir la gravité de la situation. Il retourna toutes ses dernières phrases dans sa tête, le moindre geste qui aurait pu trahir quoi que ce soit. Il ne revoyait que la tristesse dans ses yeux. Mais ça, elle l'avait toujours eu, d'une manière ou d'une autre. C'est ce qui la rendait belle. Intouchable.

— Ça fait que tu l'as pas vue aujourd'hui ? Hier ?

Kevin secoua la tête. Il l'avait vue pour la dernière fois deux jours auparavant. La plus belle soirée de sa vie. Il pouvait encore sentir le vent dans ses cheveux, son odeur…

— Elle m'a donné ça… si j'avais su.

Il s'étira et agrippa le livre qu'elle lui avait donné ce soir-là en le quittant. Mathis le prit et l'ouvrit. Sur la première page, il reconnut son écriture.

Merci pour tout, Kevin.
Un jour, tu comprendras.
Camille

o Mathis se rend chez Kevin pour voir si Camille est là

o Dans le livre que Camille a donné a Kevin était écrit

31 juillet

Je n'arrive pas à dormir.

J'ai passé une bonne partie de la nuit à pleurer dans mon lit, l'autre à écouter le silence dans l'attente qu'il se brise, comme si mon père allait faire irruption dans la maison d'une minute à l'autre. Je ne crois pas qu'il serait capable de le faire. Il aurait sans doute trop peur. C'est un manipulateur, mon père. Il sait bien que ce n'est pas la manière de retrouver son emprise sur maman. C'est d'ailleurs ce qui m'effraie le plus.

Je ne sais pas quoi faire. Est-ce que je dois en parler à ma mère ? Comment réagirait-elle si elle savait qu'il nous a retrouvées ? Je ne veux pas qu'elle retombe pour lui. Je ne veux pas retourner vivre dans cet appartement triste. Je ne veux plus revivre ça. Peu importe ce qu'il dirait, on ne peut plus lui faire confiance, il faut qu'elle le sache.

Je devrais en parler à Mams. Elle saura quoi faire. Elle agira. Nous irons voir la police. Eux, ils l'empêcheront de nous approcher. D'un autre côté, en parler à Mams signifie que je devrai tout dévoiler. Et je ne veux pas aggraver la chicane entre elle et maman. Elles commencent à peine à mieux s'entendre. Ce n'est pas de sa faute à ma mère. Je ne veux pas trahir sa confiance. *C'est notre secret,* disait-elle. *Notre secret à nous deux. Personne a besoin de savoir, OK ?* Personne. Je suis prise au piège.

Il faut que je réfléchisse. Que je trouve une idée pour l'éloigner d'ici. Encore faudrait-il que je prouve que c'est vraiment lui. Des camions comme ça, il doit bien y en avoir des tonnes dans le monde. Après tout, je ne l'ai pas vu.

Je ne veux pas le voir.

J'ai eu peur. J'espérais ne jamais revivre ça.

Quand j'ai dévalé la colline en sortant du sentier, je suis tombée face à face avec monsieur Louis. Il a bien vu que ça n'allait pas, que j'étais paniquée. Il m'a fait entrer chez lui et m'a donné un grand verre d'eau pour me calmer. Je ne voulais pas pleurer devant lui. J'ai tenté de me retenir. Mais c'est sorti tout seul, comme si toute mon adrénaline sortait de mes yeux en même temps.

— De qui as-tu peur comme ça, ma belle Camille ? De qui tu te sauves ?

J'aurais voulu lui dire. Mais il n'aurait pas pu comprendre. J'ai fini par m'assoupir sur son canapé, sans même m'en rendre compte. Sa présence a quelque chose de réconfortant. Je ne devrais pas lui parler, je ne le connais même pas. Mais je lui fais confiance. J'ai besoin de lui faire confiance. Je ne passerai pas ma vie à me méfier des autres. C'est insupportable.

Quand je me suis réveillée, il était toujours là, assis en face de moi. Il avait dû s'endormir en veillant sur moi. Je me suis levée tranquillement et je me suis dirigée vers la porte sur la pointe des pieds. Mais en arrivant à sa hauteur, j'ignore ce qui m'a pris, je lui ai donné un petit baiser sur le front, comme le fait ma mère. *Merci monsieur Louis* que je lui ai dit en silence. Si j'étais arrivée chez Mams dans cet état-là, ils auraient tout de suite su que quelque chose n'allait pas.

Je n'allais pas leur dire. Je ne peux pas.

Je dois être forte. Au-dessus de tout ça. Je dois continuer de me le répéter. Il faut que je me défasse du pouvoir qu'il a sur moi. Il faut que maman reprenne vite confiance en elle avant qu'il ne soit trop tard. Je n'ai pas fait tout ce chemin pour retourner en arrière. Reculer n'est pas une option. Mais en avançant, je dois faire preuve de délicatesse. Je ne peux pas non plus briser ma famille. Si je parle… s'ils comprennent, ils me sépareront d'elle. Et ça, ce n'est pas possible.

Le soleil se lève au loin. Le ciel commence à se colorer. C'est magnifique. On dirait que je peux distinguer toutes les couleurs en infimes lignes à l'horizon, comme si la palette au complet se déployait devant mes yeux.

Comment un monde aussi beau peut-il abriter pareille horreur ? S'il y a un dieu quelque part, il ne doit rien comprendre à ce qui se passe. Il doit se gratter la tête et se demander où il s'est trompé. Il a dû se tromper.

Les étoiles ont disparu. Tout autour de moi est baigné dans la lumière bleutée du petit matin. La brise entre doucement par la fenêtre. Il fera beau encore aujourd'hui. Une journée parfaite. Dans quelques heures, il faudra que je retourne au restaurant laver de la vaisselle. Mes paupières s'alourdissent. La clarté me rassure. Je me rends péniblement jusqu'à mon lit. Et je sombre dans un néant instantané, dans le plus profond d'un sommeil sans rêves, sans contours. Je suis exténuée.

Je me réveille en sursaut. Ma chambre est inondée de soleil, je panique. J'ai dû passer tout droit. Ma première semaine de travail et je me pointe déjà en retard. Qu'est-ce qui m'a prise de ne pas dormir de la nuit ?

J'enfile les premiers vêtements que je trouve sans trop regarder. Je m'attache les cheveux, ou du moins j'essaie, en dévalant l'escalier. J'arrive dans la cuisine et tout le monde est assis tranquille en train de déjeuner. S'arrête. M'observe.

— Ça va, ma puce ?

Ma mère me regarde, un sourire en coin. L'horloge m'annonce qu'il n'est même pas huit heures. J'ai paniqué pour rien. Je m'effondre sur la première chaise que je vois. C'est un cadran que j'aurais dû me dégoter au bazar… La veille me revient en tête. Une fraction de seconde et je revois toute la scène. Je me redresse, un sentiment désagréable vient de m'envahir. Comme un mal de cœur.

— Ben voyons, Camille, t'es toute blanche, me dit Mams. Es-tu correcte?

Je fais signe que oui sans la regarder. Boire quelque chose. Déjeuner. Ça ira mieux. Je me dirige vers le comptoir de cuisine auquel je m'agrippe. J'ai l'impression que tout tourne autour de moi, que je vais perdre connaissance. Mathis arrive à côté de moi et m'entoure avec son bras. Son contact est bon, rassurant. Je reprends graduellement pied.

Il me murmure à l'oreille:

— Hey, la cousine, qu'est-ce qui se passe?

Nos regards se croisent. Il a l'air préoccupé par ce qui m'arrive. Sans même lui avoir dit un seul mot, j'ai l'impression qu'il comprend.

— Me semble qu'on est dus pour faire de quoi ensemble, tu trouves pas?

— Je travaille au resto aujourd'hui… après peut-être? Faudrait que je te parle.

Il réfléchit. Il hésite. Je suis conne. Je sais que ses lundis soir sont sacrés. Généralement, il joue au baseball avec ses amis le lundi.

— Tu sais quoi, laisse tomber. On se verra demain.

— Non. Non. Je peux venir te rejoindre après ton *shift* au resto.

Je suis sur le point d'acquiescer quand l'image de Kevin surgit dans ma tête. Il est là, assis sur la table à pique-nique avec son petit air arrogant, son sourire charmeur, ses cheveux dans les yeux… Non. Je ne veux pas que Mathis vienne me rejoindre. J'ai l'impression que ces deux-là ne s'entendent pas, un mauvais pressentiment.

— Casse pas ta journée en deux pour moi, Math. Mais si tu veux, tu peux venir me reconduire au travail. Si on part un peu plus tôt, on aurait le temps de jaser un peu.

— On se dit quoi, dans quinze minutes?

C'est ce que j'aime chez mon cousin. Il n'a jamais peur d'être spontané, il est toujours paré à l'action. Je réalise qu'il me manque.

Je saute dans la douche après avoir avalé un muffin en vitesse. J'ai le cœur qui bat bizarrement. Il ne sait plus sur quel rythme frapper contre ma poitrine. Je suis nerveuse. Nerveuse de retourner sur la route. De me retrouver seule. J'ai peur de le croiser à nouveau, de ce qui pourrait se passer. Je n'ai aucune idée jusqu'où il est prêt à aller. Habituellement, mon père n'est pas l'homme le plus doux du monde quand il n'obtient pas ce qu'il veut. Il faut que je m'arrange pour ne plus me balader seule. Du moins au cours des prochains jours, le temps que je réalise que c'est dans ma tête. Je suis peut-être en train de vraiment devenir folle.

Mathis m'attend. Il a l'air songeur. Nous grimpons sur nos vélos et nous partons vers le centre-ville. Il connaît tous les détours, tous les raccourcis. Je prends des notes mentalement. Ça peut toujours être utile. Je me sens bien. Avec lui, j'ai l'impression que rien ne peut m'arriver. Il est déjà assez grand, assez fort pour me protéger.

Nous traversons le petit pont. Le restaurant se trouve un peu plus loin sur la route, là où la plupart des commerces sont concentrés. C'est la rue principale. Tout est encore relativement tranquille. Dans une heure ou deux, la rue sera pleine de vie jusqu'au coucher du soleil. Mathis effectue un virage sur une petite rue. Je ne suis jamais venue ici. Nous pédalons encore un moment et nous nous arrêtons subitement. Nous franchissons la petite barrière qui bloque l'accès au terrain et nous nous aventurons un peu plus loin.

— Je venais ici avec mes parents quand j'étais petit. Ils l'ont fermé y a une couple d'années. C'était pas assez rentable.

Le mini-golf est en effet laissé à l'abandon. Sur la petite cabine un peu plus loin, sur une pancarte en bois chambranlante, on peut encore lire : *Merci! À l'année prochaine!* La nature semble avoir repris possession de l'endroit. On peut à peine distinguer le contour des différents terrains. Le plus spectaculaire, c'est la vue.

Je prends place sur un des bancs. Devant nous s'étale la baie dans toute sa splendeur. Je vois le pont au loin, un autre port de pêche. De l'autre côté, j'aperçois l'île où nous habitons, le vieux camping, la plage. J'en oublie ce que je fais là. Ce coin de pays ne cessera jamais de me surprendre. J'ai l'impression d'être au bout du monde.

— Qu'est-ce qui se passe avec toi?

Par où commencer? Comment lui expliquer sans avoir l'air cinglée?

— J'ai peur, Mathis.

Un don. Il a un don, c'est certain. Chaque fois que je suis en sa présence, les paroles sortent de ma bouche en un flot continu sans que j'en aie le contrôle. Je lui balance tout. Le bazar, le vélo, le camion, la poursuite. Il ne bronche pas. Il reste là, à m'écouter sans bouger, la tête baissée, complètement immergé par mon récit. Je finis par me taire. Je l'observe. Mais il ne dit rien. Il reste immobile, et moi, je n'ose plus rien dire. J'ai déjà parlé trop vite, comme une fille qui a perdu la raison.

Il ouvre la bouche pour dire quelque chose puis se ravise. Au bout d'un moment, je perds patience. Je le tape du revers de la main, furieuse.

— Ben, dis quelque chose!

Il me regarde, les yeux tristes, en se mordant la lèvre inférieure.

— Je sais pas quoi te dire, Camille. La dernière fois que je t'ai conseillé quelque chose par rapport à ton père, t'as pas super bien réagi… et je sais pas trop quoi te dire d'autre que… le dire à quelqu'un.

Je prends le temps d'assimiler tout ce qu'il vient de me dire. Je me souviens de cet épisode-là. De la crise de larmes. J'ai envie de pleurer encore, mais je réussis à ravaler ma rage. Il a sans doute raison. Pourtant, je refuse d'envisager cette solution. Je me tue à me persuader qu'il y a sûrement une autre option à laquelle je n'ai pas pensé. Je fixe le sable, incapable de parler.

— Tu sais, Camille, peu importe ce qui arrive, t'es plus toute seule dans cette histoire-là. Je l'sais que tu l'aimes, ta mère… mais il faut que tu penses à toi aussi. Tu pourras pas passer ta vie à fuir.

— Je sais.

Il me prend dans ses bras. Au début, je ne sais pas trop comment réagir. Je suis surprise. Mais son étreinte, je la ressens jusqu'à l'intérieur de moi, comme une vague. Je l'entoure de mes bras et je le serre tellement fort que j'ai peur de lui faire mal. Ça me fait un bien fou. J'ai l'impression que nos deux corps fusionnent, que nous sommes faits de la même matière. Je soupire. *Merci,* que je lui murmure.

Il regarde sa montre. Il doit partir. Il a juré à Lucas de le rejoindre le plus tôt possible sur le toit pour l'aider à peinturer. Je reste encore un moment seule dans le mini-golf abandonné. C'est calme ici. Je devrais venir passer mes pauses ici. Ça ferait changement, manger mon lunch ailleurs qu'avec les mouettes derrière le resto, en dessous de la sortie de la hotte de poêle.

Je me dirige tranquillement vers le restaurant. Il est trop tôt et je ne suis pas pressée d'enfoncer mes mains dans l'eau savonneuse. Je regarde l'heure sur la montre que je garde toujours dans mon sac. Si je me dépêche, j'ai sûrement le temps… J'enfourche mon vélo et je me mets à pédaler à toute vitesse. C'est plus fort que moi, je regarde toujours partout autour pour être sûre qu'aucun camion n'est en vue. J'aime mieux ne pas courir de risque.

En moins de cinq minutes, je suis devant la bibliothèque. Je suis probablement la première personne à franchir la porte aujourd'hui, l'endroit est désert, mis à part la bibliothécaire qui me fait un sourire à l'envers en me voyant. Je la salue silencieusement et me dépêche à trouver un ordinateur isolé. J'ouvre le navigateur et je regarde la page du moteur de recherche apparaître. Je me fige. Comme si mes doigts n'arrivaient pas à obéir à mon cerveau. Ou c'est mon cerveau qui refuse d'obéir.

Je prends une grande respiration. Je n'arrive pas à croire à ce que je suis en train de faire… Je dois être forte. Je suis forte. Je dois continuer de me le répéter. Je prends mon courage à deux mains et je tape les trois lettres maudites. *DPJ*. Je regarde les lettres apparaître sur l'écran en majuscules.

J'enfonce la touche *Entrée*.

○ Elle a peur de son père
○ Elle parle du camion qui l'a suivait et Mathis
○ Elle se rend à la bibliothèque et tape DPJ

– Quinze –

Il commençait à pleuvoir. En regardant au loin, Lucas réalisa qu'à la couleur des nuages, ça risquait d'empirer d'heure en heure. Il avait fait trop chaud, ces derniers jours, trop humide. Il fallait s'y attendre. Il ouvrit la porte du petit poste de police où il retrouva Mams assise dans un coin sur une chaise en plastique orange. Il lui tendit le café qu'il venait d'aller lui chercher en prenant une gorgée du sien.

Il y avait beaucoup de va-et-vient aujourd'hui. La région n'avait pas souvent affaire à des histoires de disparition. En fait, il y avait rarement autant d'action dans le coin. En quelques heures, tout le personnel s'était activé. De l'autre côté du comptoir, derrière la vitre, il pouvait apercevoir Caroline en train de parler avec l'inspecteur Aubin de la Gendarmerie royale et un autre de ses collègues.

— Je vais aller appeler Flo pour lui donner des nouvelles, OK?

Mams acquiesça. Elle avait toujours l'air aussi furieuse, mais la fatigue commençait à faire son effet. Elle n'avait pas beaucoup dormi. Et toutes ces émotions la mettaient dans tous ses états. Lucas enfonça une pièce de monnaie dans le téléphone public à l'entrée du poste et composa le numéro de la maison.

— Salut, c'est moi. Toujours rien de votre côté ?

— Non, répondit-elle. Toi ?

— Ta sœur parle avec les agents. Je sais pas trop ce qu'elle leur dit, mais ta mère est *pissed off*. Elle a pas dit un mot depuis qu'elle est arrivée.

— Ouf, c'est pas bon signe…

— Et Mathis ?

— Parti, comme d'habitude. Il continue de chercher, j'imagine. Je pense qu'il est pas mal à l'envers.

— Faut j'te laisse.

Lucas raccrocha sans attendre de réponse. Caroline venait de sortir de la salle vitrée avec les policiers. L'agent Aubin lui ouvrit la porte et l'escorta jusqu'à la salle d'attente. Lucas se précipita sur eux.

— *So* ?

Aubin n'était pas du genre réconfortant. Grand et costaud, il était assez imposant, voire intimidant. Mais Lucas pouvait voir à son expression qu'il ne semblait pas satisfait de sa conversation avec Caroline.

— Eh bien, nous avons pris sa déposition. On va continuer de faire tout ce qu'on peut pour retrouver votre Camille, faites-vous-en pas.

Mams se leva d'un coup, comme possédée par une force soudaine.

— C'est tout ? C'est tout ce qui se passe ? Tu leur as dit quoi, toi, coudonc ?

Elle frappa l'épaule de Caroline avec tant de force que celle-ci perdit pied. Mams recula d'un pas, elle-même surprise de la force dont elle venait de faire preuve.

— La vérité ! T'es contente, là ?

Le mécanisme de la porte se fit de nouveau entendre. L'espace d'un instant, tout sembla s'arrêter dans le poste, comme si la gravité venait d'être suspendue. Lucas vit François traverser la porte, les mains libres, un sourire arrogant accroché aux lèvres. Il sentit la colère monter en lui en une fraction de seconde. Il n'y avait plus rien autour. Juste le visage de son beau-frère et la colère, la rage assourdissante.

— *What the fuck ?*

Il ne réalisa même pas qu'il venait de s'élancer vers lui. Son corps avait agi instinctivement, par lui-même. Aubin l'agrippa pour l'empêcher d'aller plus loin en criant son nom. Mais il n'entendait plus rien. Il tenta de se débattre, mais l'inspecteur était beaucoup plus fort que lui. Il se retrouva adossé au mur, l'avant-bras d'Aubin planté dans la poitrine.

— LUCAS! Regarde-moi.

Il revint à la réalité et réalisa que Mams aussi le retenait, l'air anéantie. Aubin approcha son visage de Lucas et parla à voix basse, la plus basse possible.

— On a pas le choix, Lucas, on a rien sur lui. On a fouillé son truck, sa chambre d'hôtel puis la sœur de ta femme vient juste de corroborer sa version des faits. Asteure, rentre chez vous et essaye de te reposer. On lâchera pas tant qu'on l'aura pas retrouvée, OK?

Lucas dévisagea Caroline. François restait planté là, l'air victorieux.

— OK, Lucas?

Il hocha la tête, résigné. Aubin leva la main pour faire signe à François de rester sur place et, de l'autre, invita Lucas à franchir la porte. Mams lui emboîta le pas, mais se retourna vers Caroline qui n'avait pas encore osé bouger. Celle-ci lança un regard apeuré vers François. Il lui sourit.

— *Don't worry*, Bé. Je sais où te trouver.

Mams fit un pas et leva un poing dans sa direction. Il fit un bond en arrière, surpris.

— Toi là, je t'avertis. Tu t'approches le moindrement de ma maison ou de ma famille, pis je te jure que…

— Madame! S'il vous plaît.

Elle se ravisa et regarda l'agent Aubin en lui souriant.

— Merci pour votre temps, monsieur.

Elle se retourna à nouveau vers Caroline qui s'empressa de sortir du poste, suivie de Mams. À l'extérieur, Lucas envoya un coup de pied sur le pneu de sa fourgonnette. Il pleuvait à boire debout maintenant. Caroline se dirigea vers Lucas pour s'excuser, lui dire que c'était de sa faute. Elle aurait dû tout avouer dès le départ, mais elle n'en avait pas été capable. Mais Mams la retint.

— Pas maintenant, fille. Viens-t'en.

Caroline monta dans la voiture et démarra le moteur. Par la petite fenêtre, elle pouvait voir François en train de les observer, d'attendre qu'elles soient parties pour sortir. Elle frissonna.

○ Ilsn'ont pas de preuve contre François

○ Lucas était faché, mais c'est fait retenir par Aublh et Mams

4 août

Je regarde la petite maison grise. Elle ne me plaît pas. Je lui laisse une chance. Je sais bien qu'aucune maison n'égalera celle de Mams. Elle sent la famille, l'histoire. Elle tient debout malgré les tempêtes et le vent qui l'assaille sans arrêt. Elle est parfaite, notre maison. Mais nous ne pourrons pas vivre là indéfiniment et je tente de soutenir ma mère dans toute cette histoire. Le simple fait que nous soyons là, à magasiner notre futur chez nous, me rassure sur l'avenir. L'engagement que ça implique me rapproche un peu plus de la certitude que je ne reverrai jamais la couleur désagréable des murs de notre ancien appartement... Même si j'ai toujours aussi peur que mon père rôde dans les environs.

Je ne l'ai pas revu, mais je reste sur mes gardes. J'essaie de ne jamais être seule, c'est le seul moyen que j'ai de m'assurer qu'il ne tentera rien. Petit à petit, l'Acadie que j'avais commencé à aimer profondément se métamorphose en cauchemar... comme avant. Je dors peu. Quand je dors, je dors mal. Je me réveille sans arrêt. Je rêve de lui. De ma mère. De ma mère avec lui. J'ai la certitude maintenant que, peu importe où nous irons, il ne nous laissera jamais vivre en paix. Mais je n'ai plus envie de pleurer maintenant. J'enrage. Je lui en veux de me faire vivre ça.

— Qu'est-ce que t'en penses, ma puce?

La cuisine est moche. Ce n'est même pas une vraie cuisine. On dirait plus un petit comptoir planté au milieu de nulle part. Elle est tellement petite que nous ne pourrions probablement même pas y mettre une table avec deux chaises. Et les armoires sont de couleur saumon. Saumon!

— C'est un peu petit, non?

C'est minuscule. J'essaie de rester positive.

— Peut-être, mais bon, on est dans la cuisine juste pour se faire à manger, non?

Maman acquiesce.

La dame qui nous fait visiter s'appelle Carole. Elle est plutôt gentille dans son genre, même si tout dans son regard me confirme qu'elle nous juge, comme si notre situation était écrite sur un panneau lumineux qui nous suit partout où nous allons. Il faut dire que pas mal tout le monde ici connaît tout le monde. Notre histoire doit bien être colportée dans toute la péninsule. Il faut dire aussi que, malgré toute la fierté que ma mère a de travailler, être *waitress,* ce n'est pas la job du siècle quand tu visites de futurs propriétaires.

Carole nous présente le salon. Je retiens mon souffle. Non seulement il y a une odeur horrible qui semble venir du vieux tapis, mais la tapisserie sur les murs ne peut que me lever le cœur. Je ne veux pas vivre ici. Je ne veux même pas en voir plus. Si c'est vrai qu'il y a un prix à payer pour être libre, il doit quand même y avoir moyen de négocier. Je tire le rideau qui couvre la fenêtre pour y découvrir une magnifique vue sur le stationnement de la poissonnerie qui est située juste derrière la maison. Rien à voir avec le paysage spectaculaire que j'ai de la fenêtre de ma chambre chez Mams. En plus, j'ose à peine imaginer les doux parfums qui doivent se faufiler par la fenêtre lorsqu'elle est ouverte. Mieux vaut subir le tapis.

Je regarde les deux chambres sans intérêt. Elles sont aussi petites l'une que l'autre. Je ne suis même pas ma mère dans la salle de bain. Sincèrement, je crois qu'elle le fait juste pour être polie. Elle sourit trop. Ses yeux sont énormes, comme des pièces de deux dollars. On dirait qu'elle est en train d'essayer un produit miracle à la télé. Je me retiens de rire. Pour ne pas pleurer. Si c'est tout ce qu'on a les moyens de se payer, je le jure, je ne m'inscris pas à l'école cette année. Je supplierai Guy de m'engager à temps plein au Trixie Dee. Je préfère laver de la vaisselle éternellement et être stupide que de vivre ici et parfaire mon éducation.

Nous sortons au grand air. J'ai envie de partir en courant. Ma mère a dû le sentir parce qu'elle m'agrippe le bras en continuant de sourire faussement.

— Merci beaucoup, Carole. On va y penser.

La femme en question nous serre la main mollement, comme si nous avions une quelconque maladie contagieuse, et s'empresse d'entrer dans sa voiture. Nous restons là, à regarder la voiture de luxe de Carole tourner le coin de la rue. Aussitôt qu'elle disparaît, ma mère se met à rire. Nous échangeons un regard complice et je ris aussi, sans pouvoir m'en empêcher. La situation est ridicule.

— Inquiète-toi pas, je nous ferais jamais ça ! me dit ma mère en riant.

Je suis soulagée. Mais nous avons encore deux visites à faire avant d'aller travailler. J'espère juste que les autres appartements seront moins déprimants que celui-là. Nous montons dans la voiture de Florence que nous avons pour la journée. C'est sans doute la prochaine dépense à laquelle il faudra penser. Mon oncle Lucas a beau passer ses temps libres à essayer de ressusciter la vieille Plymouth, je commence à perdre espoir. Cette auto-là doit bien être plus vieille que moi.

La journée est grise. Le ciel est lourd. Je crois qu'il va pleurer aujourd'hui. L'humidité me rentre dans les os. Moi qui devais aller faire un tour en bateau avec Mathis en fin de

journée… il va falloir remettre ça. Dommage.
J'en aurais eu besoin. J'ai l'impression que ma
tête est trop pleine, ces temps-ci.

Confortablement assise sur le siège passager,
je sirote mon café glacé en dirigeant ma
mère qui, apparemment, ne connaît plus
les routes de son Acadie d'enfance. Elle est
complètement perdue. Selon le papier que
je tiens entre mes mains, la prochaine maison
que nous allons visiter a tout pour me plaire.
Elle n'est pas grande, encore moins récente,
mais elle a un atout majeur : elle est face
au golfe. J'ai envie de me réveiller chaque
matin et de voir la mer, de m'endormir au
son chaotique des vagues sur le rivage. Elle
appartient à la tante de Guy, le propriétaire
du restaurant, qui la louait auparavant à des
touristes. Quand il lui a parlé de nous, elle a
tout de suite offert de nous faire visiter. Je mise
tout sur celle-là. L'autre que nous avons prévu
visiter est beaucoup plus loin de la côte. Je n'ai
pas particulièrement envie de m'éloigner de
Mams, de Mathis… de Flo et Lucas.

De Kevin.

Je fais signe à ma mère de tourner à gauche.
Tout de suite, je m'émerveille devant l'horizon.
Malgré l'orage qui semble inévitable, la mer
grise s'étend devant nous, belle et agitée.
Les maisons se dressent sur la côte, plus
rustiques les unes que les autres. Quelques-
unes ont même l'air d'avoir été laissées à

elles-mêmes depuis des années. D'autres, mieux entretenues, affichent des couleurs voyantes aux allures de cartes postales. Au loin, j'aperçois deux jeunes hommes courageux qui font du *kitesurf*. Kevin m'a dit qu'il en avait déjà fait. Je me demande s'il m'emmènera en faire avec lui un jour… Je me secoue les esprits. Je n'arrive pas à croire que je pense à lui dans un moment pareil. Qu'est-ce qui me prend ?

C'est un petit brin de femme qui vient à notre rencontre. Elle me fait étrangement penser à Mams. Quelque chose dans sa manière de se tenir, dans son air fier, presque arrogant. Pourtant elle nous sourit et nous serre la main vigoureusement en se présentant. Elle s'appelle Monique. Mais nous devons l'appeler Mo. *Y a ben juste mon docteur qui m'appelle Monique.*

C'est une petite maison, en effet. Mais le terrain sur lequel elle se trouve est immense et parsemé de verdure. Au bout, il se termine abruptement sur une petite falaise qui se transforme en plage rocheuse. J'aperçois même un vieux baril, au milieu d'un cercle de pierre, servant à faire du feu. Je souris. Ma mère aussi.

— On n'a pas entretenu ben ben l'terrain, cette année. Mon Euclide était ben malade pis moé qui est ben occupée à shop, on n'a pas loué la place à personne. Mais faites-vous-en pas, mon gendre va tout' s'occuper du terrain pis y va vous mettre ça beau.

Entretenu ou pas, l'endroit est magnifique. Rien qui ne peut m'empêcher de déjà m'imaginer en train d'errer sur cette rive à la recherche de verre de mer. Elle doit en être parsemée. Et Mo qui continue à parler, sans arrêt, comme si elle avait peur que nous placions ne serait-ce qu'un seul mot.

— C'pas ben ben à jour, mais mon gendre peut tout' vous r'peinturer à neuf, si vous voulez. Les meubles, les électros, c'tout'inclus, ça, si vous les voulez. C'pas l'gros luxe, mais tout' fonctionne ben comme du monde. On a mis ben de l'amour dans c'te bâtisse-là. Fait des années que j'veux vendre, mais mon Euclide veut rien savoir. Ça appartenait à son oncle avant... Ça fait qu'on la gardait pour la famille visitante l'hiver pis pour les touristes, l'été. Mais on a plus vingt ans, comprenez ben...

Je ne l'entends plus. Je n'arrive pas à croire que cette petite maison pourrait être à nous. Pour un prix ridicule en plus. Ma mère sourit, mais cette fois, c'est un sourire franc et soulagé. Chaque fois que nos regards se croisent, je vois des étoiles dans ses yeux. Elle n'a rien de spectaculaire, cette demeure. Pas de tape-à-l'œil, pas de luxe. Mais on s'y sent bien. Quatre pièces de pur bonheur.

J'entre dans la pièce qui serait ma chambre et j'ai envie de pleurer de joie. La tapisserie est démodée, les rideaux fleuris ont l'air tout droit sortis d'un vieux film des années soixante. Mais je m'imagine déjà en train d'épingler des affiches sur les murs, d'écouter ma musique sur le lit. J'ouvre la fenêtre, je ferme les yeux et je soupire. Le bruit des vagues remplit la chambre, l'air salin, l'odeur de l'herbe fraîchement coupée.

Je me sens chez moi.

oil visitent une maison (pas belle)
o ils visitent une autre maison beaucoup plus belle

– Seize –

Un mauvais pressentiment venait d'envahir Mathis. Quelque chose clochait, mais il n'arrivait pas à mettre le doigt dessus. Il essayait de se rejouer le film des derniers jours dans sa tête, des dernières semaines. Il analysait chaque parole, chaque petit geste de Camille. Quelque part, il en était certain, un indice se cachait. Il était persuadé qu'elle ne serait pas partie sans lui dire au revoir… ce qui le mettait dans l'embarras. Parce que, si tel était le cas, ça laissait présager le pire. Il préférait s'en tenir à l'autre version qu'il s'était faite. La réponse était là, à proximité. Il n'avait juste pas réussi à la trouver. Pas encore.

La pluie était froide. Désagréable. Mathis remonta le capuchon de son chandail pour protéger son visage de l'averse. Il était complètement trempé. Il n'osait pas appeler chez lui pour demander qu'on vienne le chercher. Ils avaient autre chose à faire. Il avait laissé Kevin seul et désemparé. Malgré leur vieux conflit, malgré le temps, il n'avait pas changé. Mathis ne le croyait pas capable de faire du mal à quelqu'un, surtout pas à Camille. Sa réaction lorsqu'il lui avait parlé de la disparition lui avait semblé sincère. Pourtant, il n'arrivait toujours pas à comprendre pourquoi il n'avait rien su de la relation entre Camille et lui. Elle lui avait confié des secrets horribles sur sa vie, pourquoi aurait-elle omis de lui parler de ça ? Ça ne tenait pas debout. Mais tout était écrit dans son cahier, noir sur blanc.

Il aurait voulu ne jamais l'avoir ouvert. Il avait l'impression d'avoir violé l'intimité de sa cousine, empiété sur sa vie privée, qui n'existait qu'entre elle et les mots qu'elle y écrivait. Ce cahier n'avait jamais été rempli pour être lu par quiconque, surtout pas lui. Camille avait toujours été très discrète sur ce qu'elle jetait sur papier. Elle ne s'en séparait jamais. Pourquoi alors l'avoir laissé derrière elle ? Il était resté perplexe quand il avait vu sa tante Caroline en train de le lire. Au départ, il avait trouvé cela normal. C'était sa fille, après tout, et elle y trouverait peut-être un quelconque indice qui aiderait à la retrouver. Plus il y pensait, plus il était mal à l'aise. Caroline aurait dû être terriblement troublée par les choses qu'elle avait lues… Mathis, quant à lui, l'avait été. Pas Caroline. Elle avait sursauté quand il l'avait surprise avec le cahier, il en avait la certitude. Elle l'avait regardé, presque horrifiée d'avoir été prise en flagrant délit. Il aurait dû le lui prendre immédiatement. Il n'avait pas réalisé. Il n'avait pas pensé. Peu importait. Le cahier était maintenant dans son sac à dos et il y resterait tant que Camille ne serait pas de retour. Il avait pensé le livrer aux agents de police comme ultime preuve de ce que son père lui avait fait vivre comme cauchemar. Mais Camille n'aurait pas voulu ça. Il le savait. Il le ferait seulement en cas de nécessité absolue.

Lorsque Mathis vit le camion sortir du stationnement du poste de garde de la GRC, son cœur arrêta de battre pendant une seconde. Il immobilisa son vélo, un frisson parcourant son corps de haut en bas. Le véhicule passa directement à côté de lui, juste assez lentement pour qu'il puisse voir l'homme qui le conduisait. Il n'avait jamais vu le père de Camille, mais en un instant, il fut persuadé que c'était lui. Il se retourna pour voir le camion continuer sa route et vit la plaque d'immatriculation du Québec. Il n'hésita pas une seconde et fit demi-tour. Il passa à la deuxième vitesse et se mit à pédaler rapidement. Le plus rapidement possible.

Il n'arrivait pas à penser clairement. Il avait l'impression que son cerveau s'était mis à tourner dans tous les sens. Si c'était bien le père de Camille, que faisait-il en liberté? Pourquoi l'aurait-on laissé partir? C'était insensé. Sa mère lui avait dit qu'ils avaient retrouvé la veste verte de Camille dans son camion. Mathis n'avait rien d'un grand détective, mais une chose était claire : à un moment durant les derniers jours, Camille avait été assise dans ce camion. Il avait fini par la retrouver…

Il aurait dû dire quelque chose, à l'instant précis où Camille lui avait dit que son père rôdait dans les alentours. Il aurait dû aller voir sa grand-mère immédiatement et tout lui révéler. Mams aurait au moins su quoi faire. Elle aurait fait quelque chose. Si seulement il avait réussi à convaincre Camille de le dénoncer. Au diable Caroline ! Sa cousine ne méritait pas de vivre dans la peur comme ça. Plus maintenant. Il se battrait pour elle. Malgré elle.

Mathis continua de suivre le camion. Il était loin devant, mais il ne le perdait jamais de vue. Il voulait savoir où il allait. Peut-être qu'au bout du chemin, elle serait là… il ne savait pas. Il ne pensait pas. Il pédalait, à bout de souffle. Tout son corps lui faisait mal, mais il ignorait cette douleur. Il n'avait qu'une chose en tête : retrouver Camille. Plus que jamais, il avait la conviction profonde que cet homme était coupable et qu'il le mènerait jusqu'à elle.

Il s'éloignait de plus en plus de chez lui. Il venait rarement dans ce coin de la péninsule, essentiellement parce qu'il n'y avait jamais rien à y faire. Il ne s'y trouvait que quelques maisons, quelques fermettes et de la forêt. Il ne passait par là qu'en se rendant à Caraquet avec son père. La route était surtout utilisée par les camions et les touristes. Il n'y avait pas un magasin en vue, aucun restaurant. Il était au milieu de nulle part. Au bout de nombreuses minutes, une éternité à ses yeux, Mathis vit le camion se ranger dans le stationnement du vieux motel au loin. Il avait oublié l'existence même de ce motel. En fait, il avait toujours cru que cet endroit était abandonné. Il en avait certainement l'air si ce n'est que le vieux panneau *VACANCY* en néon continuait de s'allumer jour après jour.

Arrivé à proximité du motel, Mathis descendit de son vélo à toute vitesse et l'abandonna sur le bord du fossé en continuant sa route à la course. Caché par les je arbres, il se fraya un chemin jusqu'à avoir une vue parfaite du stationnement et de la bâtisse. C'était un tout petit motel, fait sur le long avec toutes les portes de chambres alignées les unes à côté des autres face au stationnement. Mathis frissonna. Il grelottait maintenant, ses vêtements entièrement détrempés. Même ses doigts commençaient à plisser. Il regarda l'homme descendre du camion et se diriger en courant vers la chambre numéro trois.

Une fois la porte refermée, Mathis resta là, immobile derrière l'énorme pin qui lui servait de cachette. Il se sentit démuni. *OK, je fais quoi maintenant ? Niaiseux !* Il réalisa à cet instant que son plan avait été stupide depuis le début. Au moins, il savait où trouver le père de Camille, c'était une information de plus, une pièce supplémentaire du puzzle. Il vit une lumière s'allumer derrière la fenêtre de la chambre. Il hésita et commença à marcher discrètement vers le motel. Peut-être réussirait-il à voir dans la chambre s'il s'approchait encore. Il y était presque. Plus que quelques pas.

Puis il sentit une main sur son épaule.

○ Mathis se sent mal d'avoir lu le journal de Camille et se demande pourquoi elle ne l'avait pas prit avec elle

○ Mathis voit le père de Camille et le suis jusqu'au motel

10 août

J'enlève ma veste. En tenant les manches dans
mes mains, je la laisse voler derrière moi. En
fermant les yeux, j'ai l'impression de flotter.
Mathis me regarde de la cabine où il conduit
le bateau. Il sourit, l'air triste. Il fait beau
aujourd'hui. Malgré le vent frais, le soleil brille
de tous ses feux. Mathis dit qu'il vaut mieux en
profiter, l'été tire déjà à sa fin. Je regarde la
côté s'éloigner peu à peu et je respire mieux.
Je suis heureuse d'être là. Nous aurions dû le
faire plus souvent. Mais avec mon boulot au
restaurant, mes journées sont soudainement
plus remplies et je constate que le temps passe
sans qu'on s'en rende compte.

Quand Mathis semble satisfait par l'empla-
cement de l'embarcation, j'attends un peu que
ça arrête de branler d'un côté et de l'autre,
sinon la nausée me prend. Une fois le bateau
immobilisé, je fouille dans mon gros sac et j'en
sors l'immense couverture que j'ai apportée.
Mathis sort de la cabine en riant. Ça l'amuse
que je traîne mon confort avec moi. Il me
remerciera sans doute plus tard. Pour l'instant,
il installe son équipement pour pêcher. Il a

promis à Mams de lui ramener un seau plein de maquereaux pour le souper. Ce n'est pas un poisson que j'aime d'habitude, mais Mams a un don pour l'apprêter. Je salive déjà à l'idée d'avaler des tonnes de ses petits filets panés et épicés. Avec des frites. J'ai faim.

J'enlève discrètement mes leggings pendant que Mathis est concentré à essayer de mettre en place sa longue ligne à pêche sur la structure en métal qu'il vient de poser sur le bord du bateau. Je regarde mes petites jambes blanches. Elles ont besoin d'un bain de soleil depuis des années. J'ai décidé qu'aujourd'hui, c'était leur jour de chance. Assise sur la couverture que j'ai déposée à l'autre bout du bateau, je fouille dans mon sac pour trouver la crème que j'ai achetée à la pharmacie. La fille au comptoir m'a dit que ça faisait des miracles pour les cicatrices. Je ne suis pas dupe, je sais qu'elles seront toujours là. Mais j'espère quand même que ça améliorera leur apparence. Je suis tannée de toujours me couvrir les jambes pour sortir de chez moi. Tannée de porter ma honte à même ma peau.

Le vent semble avoir disparu depuis que nous sommes arrêtés et il fait désormais une chaleur torride sur notre coin de paradis au milieu de l'eau. Pendant que je lis les instructions sur le tube de crème, j'aperçois Mathis qui enlève son t-shirt, le plus normalement du monde. Je n'ose pas trop regarder, par gêne.

Mais je ne peux pas m'en empêcher. Derrière mes verres fumés, j'observe le torse dénudé de mon cousin et ça me fait tout drôle. Ce n'est pourtant pas la première fois que je le vois ainsi, mais je n'avais jamais remarqué sa carrure, ses muscles, le teint de sa peau bronzée, presque brune. Je voudrais être un garçon moi aussi. Me dénuder sans la moindre gêne, sculpter mon corps en le mettant au service du travail. Il a dû en lever, des casiers à homards, pour ressembler à ça. Je pense à Kevin. Je me demande de quoi il a l'air sans chandail. Ça me fait sourire.

Dans ma tête, je revois l'air ahuri de ma mère et mon sourire s'efface aussi rapidement qu'il était venu. J'étends la crème sur mes jambes avec vigueur en essayant de chasser la scène de mon esprit. Je n'y arrive pas. Ça va bientôt faire deux jours qu'on ne s'est pas adressé la parole, maman et moi. Je m'en veux.

Je savais qu'elle finirait par s'apercevoir de quelque chose. C'est pourquoi j'avais demandé à Kevin de toujours m'attendre au mini-golf abandonné désormais. On ne faisait rien de mal. En fait, on ne faisait jamais rien. On marchait, on parlait. En fait, il parlait et je l'écoutais. Il posait toujours un tas de questions, mais je réussissais toujours à les dévier vers lui. Le plus drôle, c'est qu'il ne s'en rendait même pas compte. Il se contentait de parler. J'aime écouter Kevin. Je pourrais passer des heures à juste entendre sa voix me raconter ses anecdotes, le dernier film qu'il a vu. Même les intrigues de ses bandes dessinées japonaises sont devenues pour moi une source de divertissement. J'aime sa vie simple, la manière qu'il a de se passionner pour les choses les plus absurdes et futiles qui soient. Il me fait rire. Pendant que je suis avec lui, j'oublie le reste et la réalité semble s'estomper. Rien de plus.

Il m'a pris la main, l'autre jour, je l'ai laissé faire. On est restés là, pendant une éternité, à ne rien dire, à regarder le jour s'évader sur la baie des Chaleurs, nos mains se découvrant l'une l'autre, comme si elles dansaient. Si je ferme les yeux, je ressens encore l'immense sensation de bonheur que ça m'a fait. Une chaleur intense qui m'a envahie comme si des milliers de papillons s'envolaient en moi. Rien d'autre. Pas même un baiser. C'est juste Kevin. Et pour l'instant, il n'existe que dans le secret. C'est mieux comme ça.

Depuis quelques jours, ma mère et moi semblions vivre sur un nuage. À la fin du mois, nous allions emménager dans notre petite maison, le temps que le mari de Monique repeinture les pièces et fasse quelques réparations. La simple idée de se construire un nouveau nid nous avait ressoudées. Pour la première fois, depuis notre évasion, je me sentais proche de ma mère, je la voyais renaître, revivre. Elle redevenait la Caroline qu'elle avait toujours été à l'intérieur, mais qu'elle avait dû refouler depuis des années à subir les colères de mon père. Jamais je ne me serais attendue à ça.

Le dîner avait été particulièrement occupé au restaurant et, exceptionnellement, j'ai dû rester plus longtemps à mon poste parce que la vaisselle ne cessait jamais de s'accumuler sur mon poste de travail. J'étais tellement débordée que je n'ai pas pensé une seconde qu'il pouvait bien m'attendre depuis une éternité. Il n'était pas fâché. Il s'était tout simplement tanné de m'attendre. J'étais en train d'entrevoir la lumière au bout du tunnel quand Manon, l'autre serveuse qui travaillait avec maman, m'a sournoisement lancé, en me tendant deux tasses sales : « Ouh, Camille, ton p'tit chum t'attend encore su'a table à pique-nique en face du resto ! »

J'aurais voulu disparaître là, sur place, fondre dans le plancher usé de la plonge. *Ton p'tit chum...* et quoi encore ? Je me suis sentie rougir. Je l'ai regardée, la bouche grande ouverte en étant incapable de trouver quoi que ce soit d'intelligent à dire. Le véritable problème, c'est que ma mère se trouvait à un pas de là et avait tout entendu.

Évidemment, avant que j'aie eu le temps de m'enfuir du restaurant, avant que j'aie eu le temps de me remettre du choc, ma mère avait déjà entamé son interrogatoire. La série de questions interminable qu'aucune adolescente ne veut entendre, encore moins venant de sa mère. J'aurais cru que ça l'amuserait. J'ai vite déchanté. Elle était en furie, comme si je venais de commettre le crime du siècle. Plus que de la colère. Elle était agressive et autoritaire, je ne l'avais jamais vue comme ça. Un mélange horrifiant de mon père et de Mams.

— C'est qui, lui?

— C'est personne. C'est juste Kevin.

— Kevin, hein? Pis comment ça j'en ai jamais entendu parler, avant?

— C'est juste un gars de même, là! Un ami.

— Ouin, c'est ça. Je connais ça, moi, *juste un gars de même*!

— De quoi tu parles?

— Il a quel âge?

— Je sais pas, maman. Quinze, seize ans? Le même âge que Math.

Elle allait et venait de la cuisine au *backstore* et chaque fois, elle me posait une nouvelle question stupide. Elle voulait tout savoir, jusqu'au nom de jeune fille de sa mère. Le pire, c'est que je ne pouvais pas répondre à la plupart de ses questions. Malgré toutes ces heures passées avec lui, je ne savais rien de Kevin. Je ne voulais rien savoir non plus. Je voulais juste vivre ça au jour le jour et récolter le bonheur que ça me procurait. Me sentir jolie et intéressante. Cultiver mon mystère. L'aimer en secret.

Je la voyais l'observer à travers la vitrine du restaurant, passer des commentaires. *Non, mais y as-tu vu l'air ? C'est quoi, c'te mode-là ? Y a l'air d'un p'tit bum !* Plus je l'écoutais, plus j'avais envie de m'enfuir. Je me suis dépêchée de finir ma vaisselle en tournant les coins rond. Je voulais juste partir au plus vite. Mais une fois mon quart de travail terminé, ma paye empochée, maman m'a traînée dehors en arrière du restaurant.

— Là, tu vas rentrer direct à' maison, je veux pas te voir traîner avec lui.

— Ben là !

— J'te demande pas ton avis ! T'es trop jeune pour penser à ces affaires-là.

— Franchement, m'man. C'est juste un gars.

— Ouin, ben je connais ça, moi, des gars de même, pis c'est pas vrai que je vais te laisser faire.

— Des *gars de même*?

— T'es trop jeune, j'ai dit. À c't'âge-là, ils veulent toutes la même affaire.

— Euh, j'pense que j'suis capable de me défendre. C'est n'importe quoi ! C'est quoi, j'ai même pas le droit de me faire des amis ?

— Oui. Quand je les jugerai assez bons pour toi.

J'étais furieuse. Je ne reconnaissais plus ma mère. Je ne me reconnaissais pas non plus.

J'aurais voulu comprendre sa réaction sur le coup, savoir pourquoi elle se mettait dans cet état-là pour un garçon. On ne faisait rien de mal. On parlait. Elle ne le connaissait même pas. J'étais furieuse. Et mes paroles sont sorties toutes seules :

— Ben oui, maman ! Parce que tout le monde sait que *toi*, t'as du jugement !

Jamais.

Jamais avant elle n'avait levé la main sur moi.

Et pourtant, elle m'a giflée. Pas comme mon père. C'était une claque méritée. Une gifle de colère, de vérité qui fait mal. Une gifle de peine. Je n'aurais pas dû lui dire ça. La colère avait pris le dessus sur moi. Je n'arrive pas à oublier ses yeux. Ils se sont remplis de larmes. À cause de ce que je venais de lui répliquer, mais aussi à cause du geste qu'elle venait de faire. Sa main m'avait frappée instantanément, je ne l'avais pas vue venir. Elle non plus.

Deux jours. Deux jours et je n'ai pas encore osé la regarder dans les yeux. Nous ne nous sommes pas reparlé depuis, pas même un bonjour. Je m'en veux. Je voudrais pouvoir retirer mes paroles. Mais un côté de moi devait le dire. Je suis déchirée entre deux sentiments étranges. Je lui en veux de me surprotéger. Jusqu'ici, ça n'a rien donné de bon. Je l'ai toujours soutenue. Toutes ces fois où elle lui a pardonné, comme si les marques sur son corps n'avaient jamais existé. Toutes ces fois où je l'ai consolée, où je l'ai bercée jusqu'à ce qu'elle s'endorme au bout de ses larmes. Je ne lui en ai jamais voulu. Mais je ne suis pas comme elle. Je ne veux pas passer ma vie à fuir les autres. J'ai besoin de faire confiance, besoin de croire qu'il y a du bon dans les gens. Que ce soit Kevin. Monsieur Louis. Mathis. Peu importe. Depuis que nous sommes ici, je réalise que j'ai vécu toute ma vie dans l'ombre de mon ombre, trop effrayée par les autres pour oser entrer en contact avec eux. C'est fini. Plus je fais confiance, plus je découvre que c'est normal. Ça ne peut pas être mal si ça me fait du bien.

— T'es pas mal silencieuse, aujourd'hui. À quoi tu penses?

Mathis vient me rejoindre sur la couverture. Il s'étend sur le dos à côté de moi, mains derrière la tête. J'entrouvre les yeux, le soleil m'aveuglant. Mon corps est bouillant. Je ne me suis même pas aperçue qu'il avait fini sa pêche. C'est comme si le temps s'était arrêté, comme si je m'étais assoupie au soleil. Je me sens engourdie.

— Je ne pense à rien. Ça détend.

— Au Tibet, y a des moines qui font juste ça de leur vie : penser à rien. Y paraît que c'est les gens les plus heureux du monde… Maudite vie plate, pareil!

Je me mets à rire. Un petit fou rire au début. Mais Mathis se met à rire lui aussi et, bientôt, on rit de bon cœur. Il a toujours quelque chose de bizarre à dire, Mathis, pour briser le silence, pour casser le malaise. C'est un instant parfait, un moment unique.

On reste couchés au soleil, à se faire bronzer en silence. Mathis allume la radio et on écoute la musique populaire qu'il connaît par cœur, que je n'ai jamais entendue avant. Je ne sais pas si les cicatrices sur mes jambes vont s'estomper, mais là, à cet instant précis, je m'en fous. L'été tire à sa fin, alors je profite de la journée, au gré des vagues. Je me sens légère et en sécurité.

Tant que je ne pense à rien.

Le reste est trop déprimant.

○ Mathis et elle vont faire du bateau

○ Camille et Caroline se sont chicaner a propos de Kevin

– Dix-sept –

Lorsque la pluie s'était mise à tomber, Florence avait déjà lavé tous les planchers de la maison, passé l'aspirateur sur les chaises, les tapis, les sofas. La cuisine était étincelante, pas une poussière n'avait survécu à l'ouragan Florence. Elle avait même pensé, l'espace d'un moment, à tirer les électroménagers pour nettoyer derrière chacun d'eux. Elle l'aurait fait. Si seulement elle avait eu la force de les déplacer toute seule. Pour contenir sa frustration, elle avait jeté son dévolu sur l'époussetage. De la grande bibliothèque du salon jusqu'au vaisselier de la salle à manger. Les calorifères, les bords de fenêtres, le haut des cadres de portes… aucun coin n'avait été épargné. Entre chaque tâche, Florence avait également réussi à faire quatre brassées de lessive qu'elle avait fait sécher puis pliées soigneusement.

Quand elle prit enfin une pause pour se faire une tisane, elle constata, en ouvrant l'armoire, que ses mains tremblaient. S'ils ne revenaient pas bientôt, elle allait sans doute devenir folle. Il ne lui restait que la salle de bain à l'étage à nettoyer. Après, elle se retrouverait sans tâche ménagère à effectuer pour se défouler, pour se calmer. Mathis riait toujours d'elle dans ces moments-là. Elle savait que c'était ridicule. Mais c'était plus fort qu'elle, il en avait toujours été ainsi. Même petite, lorsque la chicane éclatait dans la maison, son réflexe était de nettoyer autour, comme si la propreté de son environnement la protégeait. Elle se sentait en sécurité dans l'odeur des produits nettoyants. Mams ne s'en était jamais plainte et tout le monde avait appris, avec les années, à la laisser faire. Quand Florence se mettait dans cet état-là, mieux valait ne pas la contrarier. C'était la seule chose qui la séparait des larmes.

La main tremblante, elle versa l'eau bouillante dans la tasse dans laquelle elle venait de mettre un sachet rempli de camomille. En temps normal, elle aurait bu un autre café, mais ses nerfs ne l'auraient sans doute pas supporté. Et Mathis qui était encore parti à la recherche de Camille. Le pauvre. La situation était éprouvante pour tout le monde, mais elle s'inquiétait pour Mathis. En peu de temps, ces deux-là s'étaient pris d'une amitié sans borne, un lien de sang puissant qu'elle ne pouvait que bénir. S'il était arrivé quoi que ce soit à sa nièce, il le supporterait très mal. Elle le savait. Il avait un cœur immense, son fils. Trop, même.

Elle sortit sur la véranda pour fumer une autre cigarette. Elle fumait rarement. Elle gardait toujours un vieux paquet dans le congélateur pour les fêtes et les occasions spéciales. Elle aimait bien retrouver sa fumée d'enfance en prenant un petit coup. Ça lui rappelait les vieux partys de Noël de la famille et ses années de secondaire, bien avant qu'elle ne rencontre Lucas.

Le bruit de la pluie qui tombait sur le toit de la véranda était apaisant, comme de la musique douce. L'après-midi tirait à sa fin et tout autour de la maison, la nature semblait s'être mise en deuil. Personne n'avait vu Camille depuis vingt-quatre heures… Ça lui semblait irréel. Elle espérait que Mams reviendrait avec des réponses, que le fait que la police ait emmené François au poste ferait avancer l'affaire. S'ils avaient retrouvé sa veste fétiche en sa possession, c'est qu'il possédait assurément une pièce du casse-tête. Elle sursauta quand elle réalisa que le téléphone sonnait à l'intérieur.

Elle lança son mégot le plus loin possible. D'habitude, elle l'aurait minutieusement éteint et jeté au fond de la poubelle à côté de la maison. Mais la sonnerie l'avait surprise. Elle se précipita à l'intérieur pour atteindre le téléphone de la cuisine. C'était Lucas avec de mauvaises nouvelles.

— Comment ça, ils l'ont laissé partir? Pis Camille?

— *I don't know*, mon cœur. Ils ont interrogé ta sœur et elle a dû leur dire quelque chose, parce que cinq minutes plus tard, ils l'ont laissé partir. Aubin dit qu'ils ont rien pour le garder.

Florence porta une main à sa bouche. Si elle ne s'était pas retenue, elle aurait laissé sortir un cri de colère. Elle ne voulait pas sauter tout de suite aux conclusions, mais tout la portait à croire que, encore une fois, Caroline avait défendu son bon à rien de mari. Après tout ce qu'il lui avait fait.

— Je comprends pas.

— Moi non plus, Flo. Mams est partie avec, elles devraient arriver bientôt. Tu risques d'en savoir plus avant moi.

— Tu les as pas suivies ?

Lucas ne répondit pas tout de suite.

— *I needed some time to cool off.* J'ai arrêté au *liquor store.* Je suis en route maintenant.

Florence appuya sur la touche du téléphone pour terminer la conversation et, dans un élan de colère, elle lança le téléphone à bout de bras. Celui-ci alla finir son vol sur le divan du salon. Elle ne savait plus si elle avait envie de pleurer ou de crier de rage. Rapidement, elle s'était attachée à sa petite nièce. Elle aimait Mathis de tout son cœur, mais elle avait toujours voulu une fille. Elle en était venue à considérer Camille comme la petite qu'elle n'avait jamais eue. Et puis elle ressemblait tellement à Caroline quand elle était jeune. C'était comme si la vie lui donnait une deuxième chance. Elle se souvint de cet après-midi-là, quand elle venait d'arriver. *Maintenant que t'es à la maison, je laisserai pus jamais personne te faire de mal.* Elle avait échoué. Elle avait trahi sa promesse à Camille. Elle s'en voulait.

Florence prit le combiné du téléphone et alla le placer dans son socle en tentant de retrouver son calme. Elle prit le panier de linge dans lequel se trouvait la dernière brassée qu'elle avait pliée avec soin et se dirigea vers la chambre de Mathis pour y déposer les vêtements qui lui appartenaient. Les pires scénarios venaient d'envahir son esprit. Qu'est-ce que pouvait bien lui cacher Caroline ? Pourquoi avait-elle encore pris la défense de François ? C'était à n'y rien comprendre.

Elle déposa les vêtements sur le lit de Mathis qu'elle avait pris la peine de faire quelques heures auparavant. Elle le laissait ranger lui-même ses affaires, n'osant pas ouvrir ses tiroirs, encore moins son placard, sous peine d'être découragée. Mathis avait bien des qualités, mais le rangement n'avait jamais été sa force. Il tenait ça de Lucas. Elle se dirigea instinctivement dans la chambre au bout du corridor. C'est là que dormait sa sœur depuis qu'elle était arrivée. Autrefois, cette chambre était destinée aux invités. Caroline s'y était installée, trop nostalgique pour retrouver sa petite chambre d'enfant dans le grenier. «De toute façon, elle plaira plus à Camille», avait-elle dit.

Une fois le panier déposé sur le lit, elle agrippa le seul chandail qui appartenait à Caroline dans tout le lavage qu'elle avait fait. Elle ouvrit un premier tiroir et l'y déposa. Puis elle s'arrêta net. Il était vide. Elle en ouvrit un deuxième. Un troisième.

Ils étaient tous vides.

La garde-robe. Vide.

Elle aurait dû s'en apercevoir, réaliser que dans tout le lavage qu'elle avait fait, elle n'avait trouvé aucun vêtement appartenant à sa sœur, sauf ce chandail orphelin.

Elle regarda sous le lit pour confirmer ses craintes. Son sac avait disparu. Ses jambes flanchèrent et elle se retrouva assise au bord du lit, en état de choc. Caroline avait vidé sa chambre. Quand? Elle n'en avait aucune idée. Mais c'était clair désormais, rien ne pouvait l'être plus. Sa sœur avait plié bagage. Et elle n'avait rien laissé derrière.

Elle fuyait. Encore.

o Florence a lavè la maison en entier.
o Caroline avait faits ses
  bagages elle voulait encore
  fuir

14 août

Je ne suis pas capable de détacher mes yeux de la bâtisse. Mes joues me font mal tellement je souris. Tout se concrétise, c'est presque trop parfait pour être vrai. Néanmoins, je viens de franchir une autre étape cruciale... je suis inscrite officiellement à l'école. Elle est ridiculement petite, rien à voir avec la polyvalente en béton que je fréquentais avant. Elle est belle, ma nouvelle école. Elle sent la vieille église, l'histoire.

— C'est juste une école, me dit Mathis.

Il ne peut pas comprendre ma fascination. C'est plus qu'un établissement pour moi. C'est un nouveau départ, une nouvelle vie. Personne ici ne me connaît. Je peux être qui je veux. Je ne serai plus jamais la petite fille rousse qui s'habille avec les guenilles des pauvres. Je ne serai plus jamais la pauvre petite Camille qui rase les murs, qui passe ses midis à la bibliothèque avec les autres rejets de son espèce. Finis les éducateurs qui essaient de me convaincre de leur parler, comme si j'étais une victime sans défense. J'efface l'ardoise. Je repars à neuf. Ici je suis Camille. Point.

— C'est pas juste une école, Math. C'est le début de quelque chose.

Je dois avoir l'air ridicule. C'est plus fort que moi. Je me sens heureuse et intouchable. Dans quelques semaines, je vais vivre dans ma nouvelle maison, dormir dans ma nouvelle chambre, dans ma nouvelle ville, dans ma nouvelle vie. Maman et moi, on va tranquillement oublier l'ancienne et plus jamais je n'aurai à avoir peur de qui que ce soit. Dormir, tranquillement, au son des vagues, sans me faire réveiller aux petites heures par les hurlements de papa. Plus jamais je ne retrouverai maman, perdue dans les odeurs de l'alcool, le visage enflé, les lèvres en sang. Je vais pouvoir jeter le fond de teint que je traîne tout le temps pour cacher mes bleus, pour effacer les marques qu'il laisse sur moi. Finis les regards de pitié. Finis les policiers. Je retourne à la source, dans cette Acadie qui est désormais la mienne.

L'air est lourd, humide. Il n'y a aucun bleu en vue dans le ciel, et pourtant, c'est une belle journée. Mes vêtements collent à ma peau, mais ça ne me dérange pas. J'ai décidé qu'aujourd'hui, j'allais faire la paix avec maman. Je comprends son inquiétude. Elle ne veut pas me voir perdre la tête pour un garçon. Si seulement elle connaissait Kevin, elle changerait d'avis. Je le lui présenterai. Elle finira par s'y faire. Bientôt, aussi, je rencontrerai d'autres jeunes de mon âge. Elle ne pourra pas me protéger toute ma vie. Il y a du bon chez les autres. Il s'agit juste de le voir.

J'offre un cornet de crème glacée à Mathis avant qu'il ne s'en aille. Il doit se rendre à l'hôtel de ville pour les préparatifs de la fête nationale des Acadiens qui aura lieu demain. Je voudrais y aller, moi aussi, mettre la main à la pâte. Mais Mams m'a demandé de l'aider à cuisiner en fin d'après-midi. Elle prépare un grand repas pour demain. Tout le monde se prépare à la fête, on dirait. Il y a de l'effervescence dans l'air, des drapeaux acadiens partout.

— Ça va être drôle qu'on aille à la même école...

— Fais-toi-s'en pas, Mathis, je dirai pas à personne que je suis ta cousine.

— Franchement! Penses-tu vraiment que je vais faire comme si je te connaissais pas? J'vais te présenter à tout le monde. *Anyway*, tu vas être le centre d'attention! On n'a pas des nouveaux élèves souvent, pis en plus, tu viens d'la grand' ville! Du Québec! T'es déjà une vedette pis tu l'sais même pas!

Je lui donne une claque sur le bras en riant.

— Niaiseux, dis pas ça, je dormirai plus!

Mathis soupire en mangeant sa crème glacée double chocolat. Il n'a pas envie de s'en aller. Je n'ai pas envie qu'il parte non plus. J'ai envie de lui parler de Kevin. Mais je ne sais pas par où commencer. Ce serait plus simple s'il allait à la même école que nous, ça se ferait naturellement. D'un autre côté, ça me soulage un peu. Je ne sais tellement pas à quoi m'attendre. Et puis je ne sais plus où j'en suis. Une chose est sûre, je ne peux plus le nier… Je crois que je suis amoureuse de lui. Tout en moi me force à ne pas l'être. Je ne veux pas être amoureuse, je ne peux pas, je me le suis juré. Mais je pense toujours à lui. Et chaque fois, je deviens bizarre en dedans. Je n'ai jamais ressenti ça avant. Depuis quelque temps, juste l'idée de le voir et je deviens toute nerveuse. Et je repense à sa main qui frôle la mienne.

— T'es dans' lune, encore, Camille.

Je lui souris.

— Je suis contente, c'est tout. T'sais, depuis que je suis arrivée chez vous que je me pince pour être sûre que je rêve pas. Je commence à y croire.

Mathis rit nerveusement en regardant le sol, comme si ce que je venais de dire le gênait. Il ne devrait pas. En plus, il est le premier à dire honnêtement tout ce qu'il pense. C'est nouveau pour moi. Mais je sais que je peux tout lui dire, même quand c'est étrange et très personnel. Il connaît mon secret, mon passé. Plus rien ne devrait le gêner après ça.

— Je suis content pour toi, la cousine.

Je le regarde sauter sur son vélo et partir à toute vitesse. Je reste un peu assise là, toute seule devant la crémerie. Je me demande ce que Kevin fait en ce moment. Peut-être qu'il se prépare pour la fête, lui aussi. Peut-être pas. À en juger par la manière dont il parle, ses parents sont plutôt du genre anglophone. Et il n'arrête pas de me parler de son père qui travaille à Miramichi. «Miramichi, c'est comme notre Ontario à nous autres, qu'il m'a dit en blague. Ma mère refuse de déménager là-bas. Elle ne veut pas qu'on perde notre français.»

Je regarde l'heure. Maman va finir son quart de travail bientôt. Avec un peu de chance, je vais pouvoir rentrer en voiture avec elle. Il fait trop chaud, je n'ai plus envie de pédaler jusqu'à la maison. C'est loin. Et puis la crème glacée vient de m'alourdir le corps. J'ai peut-être eu les yeux plus grands que la panse. Je fais un effort et j'enfourche ma bicyclette en direction du resto. Je n'ai que quelques coins de rue à faire. J'ai hâte de la voir, de la prendre dans mes bras. De lui annoncer que je suis inscrite à l'école officiellement, que les beaux jours sont devant nous. Je vais m'excuser, cent fois, mille fois, s'il le faut.

Tout s'arrête. J'ai l'impression qu'on vient de me frapper violemment avec un bâton de baseball. Je sais ce que je vois, mais je ne veux pas que ce soit vrai. Pas ici, pas maintenant. Pas lui.

Le camion de mon père est stationné devant le Trixie Dee. C'est bel et bien le sien, je reconnais la plaque. Je reconnais sa peinture laide. C'était vraiment lui, l'autre jour. Et maintenant, s'il est dans le restaurant, ça veut dire que mes pires craintes se réalisent… il a retrouvé ma mère. Je suis figée, mon vélo vient de tomber sur le côté. À la fois terrorisée et paniquée, je n'arrive plus à bouger. En une fraction de seconde, ma belle journée vient de se transformer en cauchemar. Je ne sais pas quoi faire.

Je contourne le restaurant vers la porte de derrière, celle qui donne sur ma plonge habituelle. En appuyant mon vélo sur le bac de vidange, je réalise que je tremble de tout mon corps. J'inspire. J'expire. Je ferme les yeux. Pourquoi? Après tout ce temps sans nouvelles, il aurait dû comprendre. Il aurait dû nous laisser tranquilles. Je lui en veux d'être là. Je ne veux pas le voir. Mais je dois sortir ma mère de là. L'en éloigner avant qu'il ne referme sa poigne sur elle. Il en est bien capable. Je l'ai vu faire si souvent.

Il est assis au comptoir. D'où je suis, il ne me voit pas. Mais moi je le vois trop bien. Son visage. J'avais oublié son visage. Il a l'air bien. À jeun. Il sourit, les yeux cajoleurs, une mèche de cheveux tombe sur son visage, lui donnant un petit air juvénile. Il joue les séducteurs. Je connais ce visage-là, je l'ai aperçu souvent.

C'est celui qui promet, qui fait espérer. Celui qui fonctionne.

Il prend une gorgée de son café. C'est Manon qui jase avec lui, je ne vois ma mère nulle part. Avec un peu de chance, elle a réussi à s'enfuir en le voyant arriver, elle ne l'a pas vu. Les yeux fermés, je prie en silence. Je lance mon vœu dans l'univers en espérant qu'une quelconque force supérieure l'entendra. Je veux qu'il disparaisse, qu'il s'en aille.

— Mon Dieu, Camille tu m'as fait peur.

Ma mère vient d'entrer dans le *backstore* où je me terre, un plateau de vaisselle sale à la main. Elle le dépose en vitesse et m'agrippe par les épaules en m'éloignant de l'embrasure de la porte. Elle a l'air paniquée. Elle chuchote.

— Tu devrais pas être ici, c'est pas une bonne idée.

Trop tard. Je l'ai vu. Je sais qu'il est là.

— Veux-tu que j'appelle la police?

— Quoi? Non.

— Maman!

— Camille, fais-moi confiance.

J'essaie de comprendre, de lire ce qui se passe dans sa tête. Mais ses yeux sont voilés par les larmes. Je vois bien qu'elle a peur autant que moi. Je tente de penser à quelque chose qui la convaincrait, qui lui ferait comprendre qu'il n'a pas sa place ici, qu'il faut réagir et vite. Rien ne vient.

— Maman, qu'est-ce que tu fais?

— Il sait où on est, Camille. La dernière chose qu'on veut, c'est le mettre en maudit. J'ose même pas penser à c'qu'il pourrait...

Sa voix se brise. Elle est prise au piège. Moi aussi. Elle a beau tenter de me retenir, je me défais de son emprise et je pars l'affronter, malgré moi. Malgré ma tête qui crie à l'aide. Je passe devant et j'aboutis derrière le comptoir du restaurant, face à lui. Il se raidit, surpris de me voir. Ses yeux semblent à la fois contents de me voir et apeurés. Ma mère arrive derrière moi, la voix tremblante et mielleuse. *Oh! Regarde-moi donc ça qui est là ?* Je ne la regarde pas. Mes yeux sont fixés sur mon père. Je n'arrive pas à parler. Tout me revient. Toutes les claques, tous les cris. Mon chat agonisant, les os brisés...

Mon père se lève et tente de venir vers moi les bras ouverts.

— Ma belle Camille. Oh! Camille, j'ai tellement eu peur de plus jamais te revoir.

Je recule d'instinct. Je ne veux pas qu'il me touche, qu'il m'enlace. Manon semble détecter un problème et lui dit gentiment qu'il n'a pas le droit d'être derrière le comptoir. En une fraction de seconde, je vois son regard méprisant se poser sur elle, son agressivité refaire surface. Mais il se force à la cacher et se remet à sourire.

— *Come on,* Manon, je veux juste faire un câlin à ma fille.

Tout en lui est faux. Ce sera comme d'habitude. Il va me prendre dans ses bras, pleurer, s'excuser, me promettre qu'il ne le fera plus jamais, qu'il est sobre maintenant et que la vie va changer. Il va me couvrir de cadeaux, de tout ce que je veux, comme si mon pardon pouvait s'acheter. Comme si ses dollars effaçaient les cicatrices.

Je suis chez moi ici. Il ne peut pas m'atteindre. Je me le répète. Encore et encore. Il ne peut pas m'atteindre. Je dois être forte. Je suis forte. Je suis chez moi ici. Je vois le long couteau de boucher sur le comptoir. J'hésite à le prendre. Je pourrais. Il est juste là, à portée de main. Ma vue devient embrouillée. Je ne veux pas pleurer. J'allonge mon bras et je saisis le téléphone sans fil du restaurant.

— Camille, qu'est-ce que tu fais ?

Ma mère s'interpose et essaie de me prendre le combiné du téléphone des mains, mais je continue de reculer. J'essaie de me souvenir du numéro de la police, mais ma tête tourne, je ne pense plus clairement. Tout tourne autour de moi à une vitesse folle, ça me donne le vertige, la nausée. J'ai l'impression que le sol s'écroule, que le ciel me tombe dessus. Je réussis à former une phrase cohérente.

— Laisse-nous tranquilles. Sinon, je vais appeler la police.

Il a l'air démoli, des larmes coulent sur ses joues. Il essaie de me faire paraître ingrate. Je m'en fous. Je ne joue plus à ce jeu-là.

— Camille, me dit-il en me suppliant. Camille, s'il te plaît, pose le téléphone. On va parler, tu vas voir, tout' va être correct. Fais pas ça.

— Va-t'en! VA-T'EN!

Je crie. Je pleure. Je suis hors de moi. Je ne me suis jamais sentie comme ça avant, je n'ai jamais osé. Mais je suis forte maintenant, je suis chez moi. Je dois être forte. Pour ma survie. Pour ma mère. Tous les clients dans le restaurant se retournent vers nous et le silence semble s'alourdir de seconde en seconde. Il a l'air stupéfait de ma réaction, les mains devant lui. Il secoue la tête, les yeux exorbités. Pour la première fois de ma vie, j'ai l'impression que c'est lui qui a peur. Mais tout est faux chez lui. Je pèse sur le bouton du téléphone et je me mets à composer.

— OK. OK. OK. Je m'en vais, je pars, là.

Il sort un billet de ses poches et le dépose sur le comptoir en marchant à reculons. Il jette un regard à ma mère qui n'ose plus bouger. *Je vais revenir.* Je compose un autre chiffre pour qu'il le voie. Ses yeux me lancent un regard noir, furieux. Sa haine en plein visage, sa vraie nature. Je tremble de l'intérieur. Mon cœur va sortir de ma poitrine d'un moment à l'autre. Personne ne bouge, personne ne respire.

Quand la porte se referme derrière lui, je continue de le regarder, le téléphone dans les mains, les pieds ancrés au sol. Je le vois entrer dans son camion, faire démarrer le moteur et reculer. Une fois que j'ai la certitude qu'il est parti, qu'il est vraiment parti, le déclic se fait et le téléphone glisse de mes mains, mes jambes flanchent. Je me retrouve par terre, en larmes. Je n'arrive pas à contrôler mon corps qui tremble, qui hoquette sans arrêt.

Guy, le gérant, fait irruption dans la salle à manger. Il n'a rien vu, rien entendu. La scène doit lui sembler étrange.

— Qu'est-ce qui se passe ?

Ma mère m'aide à me relever et me serre dans ses bras. Elle m'entraîne à toute vitesse en arrière.

— Rien, Guy, ça va. Tout est correct.

Mais rien ne va. Rien n'est correct. C'est un cauchemar. Ma mère me pousse vers l'extérieur du restaurant. Je me laisse faire. Je suis complètement vidée de mon énergie, et pourtant, je me sens si légère. Elle m'assoit sur la table à pique-nique réservée aux employés sur le côté du restaurant et elle m'enlace dans ses bras en me berçant. Elle pleure, elle aussi.

— C'est fini, ma puce. C'est fini.

Sa voix douce me calme peu à peu. Je n'arrive pas à croire que j'ai fait ça, que ça a fonctionné. Heureusement, parce que je n'avais aucune idée du numéro que je composais. Je voulais juste lui faire assez peur pour qu'il comprenne qu'il n'avait plus d'emprise sur moi. Qu'il fallait qu'il parte ! Que j'étais capable de répliquer ! Je suis chez moi ici. Et je suis forte. Je le sais maintenant.

— Oh, ma puce… T'aurais pas dû faire ça.

○ Elle est inscrit à l'école
○ Son père est au restaurent et parle avec sa mère
○ Camille a affronté son père
○ Sa mère croit qu'elle n'aurait pas du faire ça

– Dix-huit –

Mathis était assis sur la banquette arrière de la voiture de police et regardait la pluie marteler la fenêtre. Ses vêtements encore humides, il commençait à avoir froid. Il croisa les bras pour tenter de se réchauffer. Un bref coup d'œil derrière lui confirma que son vélo tenait toujours bon dans le coffre du véhicule de patrouille. Il se sentait ridicule d'être là. Il n'avait qu'une envie, arriver chez lui le plus vite possible. Il ferait nuit bientôt… et toujours aucune trace de Camille. *Elle est vivante*, continuait-il de se répéter.

L'homme qui l'avait surpris en train d'épier le père de Camille s'appelait Bernard Aubin. Il ne l'avait jamais vu avant, mais quelque chose chez l'inspecteur lui avait inspiré confiance. Un grand monsieur avec un visage compatissant, une voix apaisante.

— Qu'est-ce que tu fais là, mon grand ? Tu vas attraper une pneumonie.

Il avait eu la peur de sa vie. Il ne l'avait pas entendu venir derrière lui. Pourtant, l'inspecteur Aubin le suivait depuis un bon moment déjà. Lorsque le père de Camille avait quitté le poste, le policier s'était empressé de sauter dans sa voiture pour le suivre. Il voulait savoir où il se dirigerait, s'assurer qu'il se rendrait comme prévu à son motel et qu'il ne bougerait pas. Il ne lui faisait absolument pas confiance, même si sa femme avait confirmé sa version des faits. Après ce que lui avaient dit l'oncle et la grand-mère, il s'était déjà fait un portrait psychologique de l'homme. L'intercepter n'avait que confirmé ses soupçons. D'une manière ou d'une autre, il était persuadé que ce François avait quelque chose à voir avec la disparition de l'adolescente et que quelqu'un, quelque part, ne disait pas toute la vérité. Lorsqu'il avait aperçu le garçon à vélo, il ne s'y était pas trop attardé, jusqu'à ce qu'il se rende compte que lui aussi suivait le même camion que lui.

— Je... Ben... euh... rien.

Aubin le reconnut immédiatement à la photo que la grand-mère lui avait donnée. C'était le fils de Lucas, le cousin de la petite Camille.

— Mathis, c'est ça ?

Comment ça il me connaît, lui ? Mathis était sous le choc. Il avait eu envie de partir en courant, mais ça aurait paru suspect. Il n'avait rien à cacher, encore moins à se reprocher. Il avait juste voulu savoir où se rendait le père de sa cousine.

— Tu devrais pas être ici tout seul.

Il avait baissé la tête. Son père non plus n'aurait pas approuvé. Si cet homme-là était aussi dangereux qu'il se l'était imaginé, qui sait ce qu'il serait capable de lui faire subir? Il n'avait pas réfléchi. Il n'avait que Camille en tête. L'inspecteur Aubin lui demanda de le suivre discrètement jusqu'à sa voiture qu'il avait immobilisée sur le bord de la route, en retrait de l'entrée du motel.

— Est-ce que je suis en état d'arrestation?

— Pourquoi? Je devrais t'arrêter? Non, Mathis. Mais j'aimerais vraiment ça pouvoir te parler au sec. J'ai l'impression que tu connais bien Camille et que tu pourrais m'éclairer sur certaines choses.

En entendant le nom de sa cousine, il n'avait pas hésité. Si cet homme la cherchait lui aussi, il pouvait assurément lui faire confiance. En fait, c'est ce qu'il aurait dû faire depuis le début, avant même que tout ça n'arrive. Ils auraient dû tout dire à la police. Mathis installa sa bicyclette dans le coffre pendant que l'inspecteur téléphonait au poste. Il ne voulait pas épier sa conversation, mais il ne put s'en empêcher.

— Caissie? Veux-tu *dispatcher* une patrouille devant le motel 113, s'il te plaît? Je m'en viens avec quelqu'un, fais préparer la salle de rencontre pis du café. On en est où avec l'alerte?... OK. *Good.* À tout de suite.

Mathis n'était jamais entré dans un poste de police auparavant et il fut plutôt déçu par la petitesse de l'endroit. Tout était blanc et gris. Morne. Rien à voir avec ce qu'il avait pu observer à la télévision. Il fut présenté au sergent Caissie qui avait l'air préoccupé. Celui-ci le salua d'un air passablement indifférent et se tourna vers l'inspecteur. Il lui tendit une feuille de papier sur laquelle Mathis crut reconnaître la photo de Camille. Il se souvenait de cette photo-là. C'est lui-même qui l'avait prise au début de l'été sur la véranda de la maison. Son cœur bondit. C'était bien réel. Elle avait disparu et la police la cherchait activement.

— On a envoyé l'alerte AMBER à tout le monde, les médias aussi. Ils vont en parler aux nouvelles de 18 heures. J'en ai donné à toutes les patrouilles.

— Merci, sergent. Mathis, viens. On va aller s'installer là-bas.

Ils prirent place dans une salle au fond du poste. Une table, trois chaises. Le sergent vint les rejoindre après quelques minutes, les bras chargés de bouteilles d'eau. Il déposa un dossier sur la table que l'inspecteur Aubin s'empressa d'ouvrir. Mathis entrevit des formulaires retenus par un trombone, une pile de photos.

— Mathis. J'ai besoin de ton aide pour retrouver ta cousine Camille. Penses-tu pouvoir m'aider?

Il haussa les épaules.

— Je le sais pas, monsieur. J'ai pas mal tout essayé moi-même.

— Qu'est-ce que tu veux dire ?

— J'ai fouillé la péninsule de long en large, tous les endroits qu'on a l'habitude d'aller… Ça fait pas longtemps qu'elle habite ici, Camille. Je sais pas où elle pourrait se cacher d'autre.

— Ta grand-mère semble dire que tu es très proche d'elle. As-tu une idée de qui pourrait bien lui vouloir du mal ?

Mathis prit une grande respiration. Qui en voudrait assez à Camille pour lui faire du mal ? Il ne savait plus quoi penser. Il avait cru tout savoir sur elle, et pourtant, depuis qu'il avait feuilleté son cahier, il se rendait compte qu'il ne connaissait rien d'elle. Que la surface. En quelques heures, il avait connu l'existence de Kevin dans sa vie, d'un vieil homme nommé Louis dont il n'avait jamais entendu parler. Il était proche d'elle. Jamais il n'aurait laissé quelqu'un la blesser. Mais elle lui avait caché des choses.

— Mathis ?

Ses mains étaient moites. Il hésitait à tout leur dévoiler, par respect pour Camille. Ce journal qu'elle tenait, elle ne l'avait jamais fait lire à personne. Elle l'écrivait pour elle, pour chasser les démons qui la tourmentaient. Elle lui avait dit un jour : « Quand je vais avoir fini de remplir les pages, je vais le brûler. J'ai juste besoin de l'écrire pour faire du ménage dans ma tête. Ça me calme. Ça me réconforte. » Cependant, elle l'avait laissé derrière elle. L'avait-elle fait pour lui ? Pour lui dire quelque chose ? Il voulait le croire. Et si la moindre phrase de ce cahier pouvait contribuer à la faire retrouver, voire à la sauver, il ne pouvait pas se taire plus longtemps.

Mathis prit son sac et en sortit le cahier. Les pages avaient fini par gonfler à force de servir. Il le lança sur la table, la tête basse, le regard distant. Il avait l'impression de la trahir, ça lui faisait mal physiquement. *Je n'ai pas le choix, Camille. Je m'excuse.*

Aubin prit le cahier et se mit à tourner les pages.

— Qu'est-ce que c'est ?

— Ça, c'est le journal de Camille. Ce cahier-là, elle part jamais sans lui. Elle le traîne partout, même quand elle en a pas besoin… Ce matin, je l'ai retrouvé entre les mains de ma tante Caroline. Y a tout là-dedans, tout ce qui s'est passé depuis le début de l'été.

Bernard Aubin regarda Mathis comme si celui-ci venait de lui remettre un objet précieux. Il voulut dire quelque chose, mais trop de questions lui apparurent en même temps, s'entrechoquant. Puis Mathis se mit à parler à toute vitesse. Il déballa tout ce qu'il y avait lu, de la violence de son père jusqu'à la rencontre de Kevin, en passant par leur fuite vers le

Nouveau-Brunswick, puis la maison hantée, le bateau, le camion, la fête des Acadiens. L'inspecteur l'écouta sans bouger pendant que le sergent Caissie tournait les pages du cahier, incrédule.

Il leur raconta sa version de l'histoire, son altercation avec Kevin, comment il avait suivi le camion du père de Camille jusqu'au motel. Il leur raconta les événements de la veille, en tentant de ravaler la boule qu'il avait en travers de la gorge.

— ... puis ce matin, ma tante Caroline a fait irruption dans ma chambre. Il faisait même pas encore clair dehors. C'est là que j'ai appris que Camille manquait à l'appel et qu'elle était pas rentrée dormir. Le reste... ben, vous le savez.

Aubin se renversa sur sa chaise, essayant d'assimiler tout ce qu'il venait d'entendre. Il prit un bout de papier dans le dossier et griffonna quelques mots puis se redressa à nouveau.

— OK. Dis-moi maintenant, Mathis, ce monsieur-là... Louis. Tu ne l'as jamais vu?

— Non. J'ai toujours pensé qu'elle était abandonnée, cette maison-là. Pis Mams m'a toujours défendu d'aller jouer là-bas.

Aubin regarda le sergent Caissie qui sembla comprendre quelque chose. Ce dernier se leva à toute vitesse et se dirigea vers une agente au comptoir qui se mit automatiquement à taper sur le clavier de son ordinateur. L'inspecteur soupira et se frotta le front avec sa main droite.

— Elle serait pas partie sans rien dire, monsieur. C'est impossible. Il faut qu'il soit arrivé quelque chose.

— Je te crois, Mathis. Ce que tu viens de nous dire nous aide déjà beaucoup. On a lancé l'alerte tantôt. Avec un peu de chance, le téléphone va se mettre à sonner. Pour l'instant, on va continuer les recherches… Le cahier, est-ce que je peux le garder?

Mathis hocha la tête à contrecœur. Il aurait voulu le garder, relire certains passages, s'accrocher à elle. Mais s'il pouvait aider les recherches, il ne pouvait qu'acquiescer. Il s'agissait également d'un témoignage direct de ce que son père lui avait fait subir. Ça devait valoir quelque chose.

— Inquiète-toi pas, je vais te le rendre une fois que tout sera fini. Attends-moi ici quelques instants, j'ai une petite chose à faire, et après, je vais aller te déposer chez toi.

Plusieurs pistes venaient de s'ouvrir devant Bernard Aubin. Il devait décider rapidement laquelle suivre en premier. Les choses se compliquaient de plus belle. Il n'avait pas cru la version du père de la petite et il voyait désormais le portrait complet de la famille. Ce qui clochait dans le témoignage de la mère était maintenant clair et précis. Ce qu'il n'avait pas envisagé, c'était qu'il y avait, à partir de ce moment-là, d'autres suspects potentiels. Et plus les minutes avançaient, plus les chances de retrouver Camille saine et sauve lui échappaient. Aubin se leva pour quitter la pièce, mais fut stoppé dans son élan.

— Une dernière chose, monsieur Aubin… pour le cahier. Il manque des pages à la fin. C'est comme si quelqu'un les avait arrachées.

- Aubin a suivi le père de Camille et a croisé Mathis

- Ils intérogent Mathis

- Mathis a donné le cahier de Camille à Aubin

- Quelqu'un a arraché les dernières pages

15 août

Je n'ai pas le cœur à la fête. Pas envie de célébrer. Pas envie de me lever et d'affronter la réalité. Elle est trop moche. Trop horrible. Trop vraie. Fuir, conduire pendant des heures, des kilomètres pour s'éloigner de mon père et le voir réapparaître aussi facilement. Je ne sais pas comment il a su qu'on était ici. Je ne veux même pas le savoir. Mais je voudrais qu'il ne soit jamais venu. Le message était pourtant clair. Quand deux personnes prennent la poudre d'escampette en pleine nuit sans laisser de note, c'est qu'elles ne veulent pas être suivies.

J'y ai cru. Pendant un mois et demi, j'ai cru que j'allais m'en sortir, que tout allait changer pour maman et moi. Je ne veux plus de lui dans ma vie. Je connais mieux. J'ai mieux. J'ai une famille aimante avec qui je partage le même sang, la même affection. J'ai un cousin, un ami formidable que je ne veux pas perdre. Si on me force à partir d'ici, je n'aurai plus le choix…

Et s'il s'installait dans le coin ? S'il emménageait avec nous ? Je n'ose pas y penser. Juste l'envisager et la nausée me prend. Il n'a pas changé. Il est sobre, ça, je n'en doute pas. Mais pour combien de temps? Et puis, ça ne l'a jamais empêché de traiter ma mère comme une ordure. Il ne sait pas aimer, mon père. Je ne crois même pas qu'il sache ce que c'est l'amour. On ne frappe pas les gens qu'on aime. On ne les retient pas prisonniers de la peur, de la pauvreté.

« Tu n'aurais pas dû faire ça », qu'elle a dit, ma mère. C'était la seule chose à faire, elle ne peut pas me la reprocher. Pour la première fois de ma vie, je lui ai tenu tête. Il ne devait pas s'attendre à ça. La haine dans ses yeux quand il a quitté le resto me hante encore. Je n'ai pas fermé l'œil de la nuit. S'il finit par m'attraper seule, je suis mûre pour une punition magistrale. Il a horreur de ne pas contrôler la situation.

On cogne. La porte de ma chambre s'ouvre et je vois Mams entrer sur la pointe des pieds. Elle s'assoit doucement sur le lit.

— Tu es réveillée?

— Oui.

— La journée est belle. On s'en va tous en ville tantôt pour le Grand Tintamarre. Travailles-tu au restaurant aujourd'hui?

Je me redresse dans mon lit en essayant de replacer mes cheveux. Mes yeux brûlent de ne pas avoir assez dormi. Chaque fois que je les ouvre, j'ai l'impression que des milliers d'aiguilles viennent s'y planter.

— Non. Guy m'a donné congé. Maman travaille, par exemple.

— Je sais, elle est déjà partie… T'as pas l'air de filer, toi ?

Elle dépose sa petite main fragile sur mon front, les sourcils froncés. Je devrais tout lui dire. Mais je ne veux pas l'inquiéter. Elle a l'air si sereine, ce matin, qui suis-je pour gâcher sa journée ? Ça la mettrait toute à l'envers si elle savait. Demain. Je lui dirai demain.

— Non, non. Ça va. Je suis juste un peu fatiguée.

— Prends ton temps et descends déjeuner quand tu veux. On va t'attendre.

Mams m'observe encore un moment avec ses yeux inquiets. Je lui souris pour la remercier. Avant qu'elle ne franchisse la porte, je m'empresse de lui dire de ne pas m'attendre pour rien, que je dois passer au restaurant de toute manière.

— Tu es certaine ?

— Oui. Je ne veux pas que maman passe la journée toute seule. Je vais l'attendre et aller regarder le feu d'artifice avec elle après son *shift*, ce soir. Est-ce que c'est correct ?

Mams me sourit, et hoche la tête. Elle a l'air émue, mais ne dit rien. Au bout d'un moment, elle disparaît du cadre de porte et je l'entends descendre au rez-de-chaussée. J'ai vraiment l'intention d'aller rejoindre maman. Mais je ne veux pas la laisser seule au cas où il déciderait de se pointer à nouveau… Je m'étire de tous bords, tous côtés, pour essayer de réveiller mon corps qui semble ne pas vouloir bouger.

La vérité, c'est qu'avant toute chose, j'ai l'intention d'aller au poste de police aujourd'hui et de porter plainte contre mon père. C'est sans doute la pire journée pour le faire, mais j'y ai bien réfléchi, j'ai retourné toutes les solutions dans ma tête, et c'est la seule qui me reste qui soit valable. Je n'ai plus le choix. Maman est déjà en train d'essayer de trouver des compromis, des excuses. Ce n'est pas de sa faute. Je ne crois pas qu'elle veuille véritablement me faire du mal. Elle doit l'aimer, quelque part entre la violence et la peur. Elle l'aime mal. Mais elle l'aime. Je ne comprendrai jamais cet amour-là. Tout ce que je sais, c'est que je ne veux plus en faire partie. Je ne veux plus.

Pendant des années, j'ai fui la DPJ comme la peste, de crainte qu'on ne m'arrache à ma mère, qu'on ne me place dans un foyer d'accueil. Je ne voulais pas être une enfant du système. C'est ce que mon père a été, et ça ne l'a pas rendu heureux. Je ne voulais pas finir comme lui. Et puis je ne connaissais rien d'autre que ma vie. Comment pouvais-je concevoir que ce serait mieux ailleurs ? Je m'en sortais généralement assez bien, et tant que maman et moi nous tenions, j'arrivais à survivre plutôt aisément. « Toutes les familles ont leurs bébittes », disait toujours maman. Je me suis donc terrée avec la mienne, en silence, en attendant que le temps passe, que le jour arrive où je pourrais enfin voler de mes propres ailes. Je rêvais de mon prince qui viendrait m'arracher à ma vie de misère pour m'emmener vivre une vie idéale, loin de papa. Quelle petite fille naïve j'étais.

C'est terminé. La dame au téléphone me l'a confirmé. Si jamais je dois être placée quelque part, c'est dans ma famille proche qu'ils le feront d'abord. Et ça, une famille, j'en ai une maintenant. Et je ne veux pas la quitter. Si maman refuse de coopérer, je sais que Mams me gardera près d'elle, qu'elle me permettra de vivre ici. Ce n'est pas le petit chez-moi que je voulais, mais c'est l'Acadie, c'est une maison. C'est une vraie famille. Je leur dirai tout. Ils comprendront. Ils agiront. J'ai confiance maintenant, je suis forte. Je me le suis prouvé, hier, au restaurant. Et si je dois l'être pour ma mère aussi, tant pis, je le serai. Je n'ai plus rien à perdre. Il ne m'arrachera pas à ma famille, pas tant que je serai encore en vie pour lutter.

Je ferme les yeux. Pas trop longtemps, pour ne pas me rendormir. Juste pour les reposer. Je pense à Kevin. À la soirée d'hier… On s'était donné rendez-vous à l'entrée de la plage municipale à seize heures. J'ai laissé maman rentrer seule en lui disant que je devais aller à la bibliothèque pour emprunter des livres, que j'allais arriver avant 19 heures. Ça ne me laissait que peu de temps avec lui. Mais je tenais à le voir.

Il a bien vu que ça n'allait pas, comme s'il avait été capable de lire dans mes yeux. Pendant tout le temps que j'ai passé avec lui, j'ai eu envie de pleurer. J'ai savouré chaque seconde, chaque minute à côté de lui. On n'a pas dit grand-chose. On est restés assis sur le sable, l'un contre l'autre, la main dans la main, à regarder le soleil descendre vers l'horizon, le vent dans les cheveux. Quand je lui ai donné mon exemplaire des *Aventures de Huckleberry Finn*, il m'a regardée étrangement, surpris que je lui fasse un cadeau comme ça.

— C'est mon roman préféré. J'ai dû le lire au moins dix fois. Il est à toi, maintenant.

Il m'a remerciée, gentiment. Je sais que Kevin n'est pas le genre de gars à lire des romans, je ne sais pas ce qui m'a prise de le lui donner. S'il le lit, peut-être qu'il comprendra un peu plus qui je suis, d'où je viens. C'est comme si je lui donnais un peu de moi. Mais il avait l'air content, heureux. Je me suis presque perdue dans ses yeux. J'aurais voulu que ça ne s'arrête jamais. On s'est embrassés. C'est arrivé comme ça. Il s'est penché vers moi et il m'a embrassée longuement. Ça m'a prise par surprise au début, j'ai cru que mon cœur allait sortir de ma poitrine. Et puis, au bout d'un moment, j'ai compris pourquoi ça rend les gens fous, l'amour. Je l'ai serré dans mes bras longtemps, pour pouvoir garder son odeur sur moi. Et je l'ai laissé tout seul sur la plage. En pédalant pour retourner à la maison, je ne sais toujours pas si je pleurais de tristesse ou de bonheur. À partir d'aujourd'hui, tout va changer. Je ne sais même pas quand je le reverrai. Il ne sait même pas où j'habite…

Je les entends partir. Par la fenêtre de ma chambre, je vois Florence et Mams entrer dans la fourgonnette pendant que Lucas dépose la glacière dans le coffre avec les chaises pliantes. Je voudrais être avec eux, aller voir le défilé et faire partie du Tintamarre, moi aussi. J'en ai tellement entendu parler. Je vais tout rater. J'aurais voulu voir Mathis dans le défilé, avec ses amis. Mais ma vie est ce qu'elle est. Avec un peu de chance, l'an prochain à pareille date, je suivrai la parade moi aussi. J'y crois.

Je me faufile hors de ma chambre et je me rends à la cuisine. Je n'ai pas vraiment faim, mais j'avale une banane pour ne pas partir le ventre vide. Sur le comptoir, je trouve une petite note collée sur une boîte en métal remplie de biscuits. C'est l'écriture de Mams : *Passe une belle soirée avec ta mère. Si vous voulez venir nous rejoindre, nous serons à notre place habituelle, dans le stationnement de la banque. Mams.* Je souris tristement. Je n'aurais jamais cru m'attacher autant à cette drôle de petite grand-mère. La première fois que je l'ai vue, elle m'a tout de suite intimidée. Mais sous son air froid, elle a un cœur immense. Elle ne sait juste pas comment le montrer.

L'eau dans la bouilloire est encore chaude. Je me fais un chocolat chaud que j'apporte sur la véranda. C'est étrange d'être seule ici. La maison est silencieuse. Même la mer semble s'être calmée. Pas un bruit hormis celui des oiseaux, des insectes… du vent dans les herbes. Il fait beau. La journée détonne avec mon humeur. Je jette un coup d'œil à la petite maison sur la falaise. Pauvre monsieur Louis. Je lui ai servi tout un numéro hier, j'espère qu'il s'en est remis. Il avait l'air profondément troublé quand je l'ai quitté.

Je suis entrée à temps pour le souper, le cœur dans un état bizarre, ballottée entre le souvenir de ma confrontation avec mon père et la sensation des lèvres de Kevin sur les miennes. Jamais auparavant je ne m'étais sentie aussi proche de la tristesse et du bonheur en même temps. C'est l'angoisse qui a pris le dessus quand je me suis aperçue que maman n'était pas rentrée du travail. Je l'avais pourtant quittée des heures plus tôt.

Je me suis retrouvée à table avec Mams, Lucas et Florence, Mathis étant toujours à l'hôtel de ville en prévision de la fête. J'ai mangé sans appétit, en silence, en ne faisant semblant de rien. Personne n'avait l'air de s'en faire. *Elle doit être prise au restaurant.* Je l'espérais de tout mon cœur. J'avais pourtant entendu clairement Guy lui dire de prendre le reste de sa journée de congé. Après le repas, j'ai fait mine d'aller marcher sur la plage et je me suis rendue discrètement chez monsieur Louis. Je ne l'avais pas vu depuis quelques jours.

Il a eu l'air content de me voir. Ses chiens aussi. Il a sorti deux chaises de la maison et nous nous sommes installés en retrait pour regarder le coucher du soleil.

— Tu es pas mal silencieuse, ce soir.

Je ne disais rien. Je me contentais de regarder l'horizon pendant que mon intérieur bouillait de rage. Je sentais les larmes couler sur mes joues sans que j'arrive à les retenir. Des larmes silencieuses et douloureuses. Je me sentais prise au piège. J'avais cru que la compagnie du vieil homme m'apaiserait un peu, qu'il me ferait oublier. Mais c'était pire. Je me sentais encore plus mal de me trouver là en ne sachant pas où ma mère pouvait être.

— C'est mon père... il nous a retrouvées.

Monsieur Louis ne m'a pas jugée. Il m'a juste écoutée en silence pendant que je lui déballais toute l'histoire. Je ne sais pas ce qui m'a prise. Mais au moment où je me suis mise à lui raconter comment nous avions pris la fuite en pleine nuit, le reste a déboulé. Le chat, le camion, le restaurant... Je lui ai tout dit. J'en avais besoin. Il fallait que j'en parle à quelqu'un, pour y trouver un sens, pour le concrétiser. J'étais tannée de vivre ça toute seule, dans ma tête. Seul Mathis aurait pu comprendre et il n'était pas là. De toute manière, il m'aurait dit la même chose. Va à la police. Il aurait probablement eu raison. Mais monsieur Louis n'a pas dit cela. À un certain moment, alors que le ciel commençait à prendre les couleurs du feu, j'ai vu ses yeux se remplir de larmes.

— Je m'excuse, que je lui ai dit. Je ne veux pas vous faire de la peine.

— C'est que ça me met à l'envers, ce que tu me dis là, ma belle Camille. J'aurais jamais pensé que… Je savais pas.

Il a gardé le silence. Comme s'il sentait que quelque chose n'allait pas, le gros Bucky est venu poser sa tête sur mes genoux, l'air piteux. Je l'ai flatté d'une main en séchant mes larmes de l'autre. Si tout va comme je veux, j'aurai un gros chien comme Bucky un jour. Une boule de poils massive qui me protégera et me consolera quand j'en aurai besoin.

— Vous pouviez pas savoir.

— Est-ce que ta grand-mère le sait?

Il a dit ça très sérieusement en se redressant, comme s'il s'en voulait de s'être montré vulnérable.

— Je pense qu'elle en sait des bouts, je sais qu'elle l'aime pas ben ben…

— Non. Est-ce qu'elle sait qu'il vous a retrouvées?

— Non.

Il s'est approché de moi et a posé une main sur mon épaule. Il avait l'air paniqué. Dans la lueur du crépuscule, il m'a semblé beaucoup plus vieux que d'habitude. Sa voix s'est mise à trembler.

— Écoute-moi bien, Camille. On se connaît pas beaucoup, mais il faut absolument que tu le dises à ta grand-mère, le plus tôt possible. S'il y a quelqu'un qui peut t'aider, dans tout le Nouveau-Brunswick, c'est elle. Tout ce que tu viens de me dire, tu lui dis. OK?

J'ai acquiescé nerveusement. Je ne suis pas restée longtemps après. Il avait l'air très ébranlé par ce que je venais de lui dire et j'étais soudain mal à l'aise de rester là à lui faire la conversation comme si de rien n'était. Lorsque je l'ai quitté, il m'a fait promettre de tout raconter à Mams. Je le lui ai promis en ne comprenant pas pourquoi il y tenait autant. D'un autre côté, il avait raison. J'aurais dû le lui dire depuis longtemps, tant pis pour ma mère.

J'ai fait le détour par la plage pour retourner à la maison, la tête lourde. J'avais hâte que la journée finisse. Mais j'étais décidée à entrer et à me diriger directement vers Mams pour tout lui dire. Ça s'arrêtait là, maintenant. J'ai grimpé les marches deux par deux d'un pas décidé, mais, en entrant, je suis tombée face à face avec maman. Elle était adossée au petit comptoir de la cuisine d'été et mangeait un restant du souper dans un bol.

— Où t'étais, toi?

— Je pourrais te poser la même question, que je lui ai répondu sèchement. As-tu vu Mams?

— Elle est déjà montée se coucher.

— T'es sûre?

— Pourquoi? Qu'est-ce que tu y veux?

J'ai haussé les épaules.

— Rien.

Ma mère s'est approchée de moi lentement avec une lueur dans les yeux que je ne lui connaissais pas. D'une main, elle a agrippé mon bras, juste assez fort pour que je ne puisse pas me défaire de son étreinte sans me faire mal.

— Camille, ce qui s'est passé aujourd'hui, Mams a pas besoin de le savoir. On s'entend là-dessus?

— Pourquoi?

— Parce que ça la regarde pas, OK? Ça va rester entre toi pis moi. Compris?

— Maman…

— Tu la connais pas comme je la connais. Laisse-moi faire.

Elle m'a laissée aller au moment où Mathis est entré, l'air tout joyeux. Le visage de ma mère s'est transformé instantanément et elle a arboré un grand sourire pour l'accueillir. Je suis montée à ma chambre, confuse et épuisée.

Je devrais aller voir monsieur Louis pour lui dire que tout va mieux ce matin, que ma décision est prise. J'aurais dû en parler à Mams quand elle est venue dans ma chambre tout à l'heure. C'était le moment parfait. Mais si je peux lui épargner une partie de la vérité, elle ne s'en portera que mieux. La police, c'est mieux.

Je me rends compte que le téléphone sonne. J'étais tellement dans mes pensées que je ne l'avais même pas entendu. Je me précipite à l'intérieur pour répondre en passant à deux doigts de renverser le contenu de ma tasse sur le plancher.

— Camille?

- Elle voulait aller au poste de police

- La journée avant elle a rencontrée Kevin sur la plage et lui a donné un livre

- ~~Elle n'est pas allé à la police~~

- Elle s'inquiète pour sa mère qui n'est pas encore revenu du travail

- Louis veut qu'elle le dise à Mams

– Dix-neuf –

Mams donna un coup sec sur la table.

— OK. Ça suffit, maintenant, fille! Prends sur toi!

Caroline pleurait à gros sanglots depuis l'arrivée des policiers dans la maison. Mams pouvait comprendre sa réaction, mais il y avait un temps pour chaque chose et à ce moment-là, il fallait garder le cap sur Camille. Les regrets et la honte devaient attendre à un autre jour, quand tout se serait calmé. Le ton de la voix de Mams sembla faire diminuer les pleurs de sa fille, mais elle n'arrêta pas pour autant. C'était trop pour elle et elle s'en voulait. «C'est de ma faute», continuait-elle de répéter, encore et encore.

À un bout de la table, Florence tenait la main de son mari comme si sa vie en dépendait. Son cœur avait fait un bond dans sa poitrine en voyant Mathis descendre de la voiture de police. Ce n'est qu'une fois que l'inspecteur Caissie leur eut raconté leur rencontre qu'elle se mit à respirer mieux. Mathis. Il avait été jusqu'à suivre François pour retrouver sa cousine. Elle était consciente du danger qu'il avait couru, mais elle eut quand même envie de le serrer fort dans ses bras. Malgré tout, elle avait élevé un garçon merveilleux qui n'avait pas peur de mettre les gens qu'il aimait avant lui.

Mams soupira en regardant le cahier devant elle. L'inspecteur Aubin la regardait attentivement, l'air soucieux. Ce devait être beaucoup de choses en même temps pour la pauvre femme. Il la laissait ramasser ses idées, prendre son temps. Mais Mams n'arrivait pas à formuler ce qu'elle voulait dire. Hormis une petite heure de sommeil en début d'après-midi, elle était debout depuis plus de vingt-quatre heures et ses pensées commençaient à ne pas avoir de sens. Elle leva la tête vers l'inspecteur.

— Où est le reste ?

— C'est ce que nous aimerions savoir. Les pages ont été arrachées.

Le sergent Caissie, debout derrière l'inspecteur, ne tenait plus en place. Il n'osait rien dire, préférant laisser les rênes à son supérieur, mais il mourait d'envie de poser un tas de questions. Cette famille semblait empêtrée dans le silence, comme si l'urgence de la situation ne leur importait pas. Dehors, la nuit était en train de tomber. Les premières vingt-quatre heures d'une disparition étaient cruciales et il ne comprenait pas ce qu'ils faisaient encore ici. Ils auraient dû être en train d'interroger les autres suspects, de chercher sur le terrain.

— Le journal de votre petite Camille nous en a appris beaucoup, mais nous restons persuadés que la solution se trouve dans les pages manquantes. Du moins, nous l'espérons. Ce sont probablement les dernières choses qu'elle y a écrites avant de disparaître.

Dehors, le tonnerre se fit entendre au loin. La lumière de la salle à manger vacilla légèrement, faisant sursauter tout le monde. Caroline se leva brusquement et marcha jusqu'au salon d'où elle revint avec son sac à la main. Elle avait l'air d'un zombie, les yeux vides, la tête basse. Elle ouvrit son sac et déposa quelques feuilles de papier chiffonnées sur la table.

— Ça ne vous dira pas où elle est, murmura-t-elle. Mais prenez-les. Au point où j'en suis…

L'inspecteur regarda la mère de Camille se rasseoir sur la chaise, lasse. Il ne savait pas ce qu'il trouverait sur ces pages, mais si elle avait pris la peine de les arracher du cahier, c'est qu'elle n'y faisait pas bonne figure. Il tendit les feuilles au sergent Caissie qui s'éloigna dans l'autre pièce pour les lire.

— Il y a une autre chose dont nous voulions vous parler, si vous en avez la force.

Mams haussa les épaules. Elle était épuisée, mais plus rien ne pouvait désormais l'ébranler. De plus, elle se doutait bien de ce dont il voulait discuter. Elle serait honnête avec lui, comme elle l'avait toujours été.

— L'homme qui habite sur votre terrain et que votre petite-fille appelle Louis... nous connaissons sa véritable identité.

Avant de quitter le poste, Aubin avait demandé à l'agente Karen Losier de faire une recherche sur cet homme qui semblait s'être lié d'amitié avec Camille. À ses yeux, il n'augurait rien de bon. Il n'avait pas pu cacher son étonnement face à ce que l'agente Losier lui avait dévoilé. Ça ne collait pas.

— Est-ce que Mathis le sait? demanda Mams.

— Nous ne croyons pas.

— Il va m'en vouloir. Même Caroline n'est pas au courant.

— Madame... croyez-vous qu'il pourrait...

— Non. Il a bien des défauts, c'est sûr. Mais je ne crois vraiment pas qu'il ait pu faire du mal à Camille. C'est un vieil homme maintenant.

Aubin se sentit soulagé. Mais il devrait quand même le questionner ainsi que le jeune Kevin. Avoir leur version des faits, même si tout était écrit noir sur blanc dans le cahier de la petite. Il se leva de table et alla rejoindre Caissie qui était dans la cuisine d'été.

— Et puis?

— Je pense qu'il faudrait ramener le père au poste. Il ne nous a pas tout dit, clairement. Regardez.

L'inspecteur arracha les feuilles à son collègue et se mit à lire en diagonale. Un frisson lui parcourut le dos. Dehors, le tonnerre semblait se rapprocher. Ils auraient droit à toute une tempête… et Camille qui manquait toujours à l'appel. Il lut les derniers mots que Camille avait écrits, visiblement pressée. Ils s'adressaient à Mathis, son cousin. Aubin secoua la tête. Pauvre fille. Il se dirigea aussitôt dans la salle à manger où la famille était toujours prostrée. Tout le monde avait l'air atterré, fatigué. Il comprenait.

Un coup d'œil lui suffit pour constater son absence.

— Où est Mathis ?

- Caroline avait pris les pages du journal

- Louis n'est pas celui qu'il prétend être

- Les derniers mots du cahier s'adressaient à Mathis et ils irent cherché Mathis mais il avait disparu

(...)

Allô ? Allô ?

Je reste figée sur place, le téléphone dans les mains. Je fixe mon père et ma mère devant moi, ne comprenant pas ce qui est en train de m'arriver.

Allô ? Y a quelqu'un ? Je porte le téléphone à mon oreille en tremblant.

— Oui ?

— Camille ? C'est Guy. Écoute, ta mère est pas encore arrivée pour son quart de travail, pis le resto commence à se remplir pas mal. Est-ce qu'elle est là ?

Ma mère me regarde, les yeux affolés. Elle secoue la tête, comme si elle savait qui était à l'autre bout du fil. Je n'ose pas regarder mon père qui se tient juste derrière elle. Si je le regarde, il va comprendre que j'ai peur et il va en profiter.

— Euh, non. Non, je l'ai pas vue depuis ce matin.

— OK. Ben écoute, si tu la vois, veux-tu y dire de m'appeler au plus sacrant ?

— Oui oui. OK.

Il raccroche, mais je garde le combiné sur mon oreille en faisant semblant qu'il y a toujours quelqu'un qui me parle. Dans ma tête, tout va vite. Je ne les ai pas entendus arriver, j'aurais pu m'enfuir, me cacher. Il n'est peut-être pas trop tard. Si je m'y prends bien, je peux encore me faufiler par le salon et sortir par la fenêtre de la chambre de ma mère. C'est un peu haut, mais je peux y arriver. De là, je pourrais courir jusqu'à la maison de monsieur Louis. C'est faisable.

Mais je reste plantée là.

— Oui. OK. Non, non, elle est pas malade, elle doit avoir une bonne excuse.

Une larme coule sur la joue de ma mère. Mon père s'avance vers moi tranquillement. J'ai l'impression d'être toute petite, minuscule. Il prend le téléphone et pèse sur le bouton pour raccrocher. Il respire fort. Je reconnais son odeur, elle envahit tout mon corps et je revois tout, je revis tout dans les moindres détails. Il va me tuer, là, sur place. J'en ai la certitude. À ma grande surprise, il se met à genoux et m'entoure de ses bras en hoquetant.

— Ah! Camille. Ma belle Camille. Je m'excuse. Je m'excuse tellement.

Il pleure? Non, c'est un jeu. C'est de la frime, je l'ai déjà vu faire. Ma mère me regarde. Elle a l'air aussi figée que moi, terrorisée. Je n'ose pas bouger, dire quoi que ce soit. Il se relève et me prend le visage entre ses deux énormes mains.

— Tout va bien aller maintenant, tu vas voir. On va être une vraie famille.

Je veux crier. Je veux hurler assez fort pour que ça le détruise. Mais je suis sans voix. De quoi parle-t-il? Qu'est-ce qu'il veut?

— Va chercher tes affaires, on n'a pas de temps à perdre.

J'interroge du regard ma mère, qui continue de secouer la tête, la panique se lit dans ses yeux. Je comprends que ce n'est pas une bonne idée de m'obstiner avec lui, de poser des questions.

— Mes affaires?

Mon père soupire fort, comme s'il était à bout. Ma mère se précipite vers moi et me prend par l'épaule. Elle se force à sourire.

— Va faire tes bagages, ma puce. Pose pas de questions, OK?

Mon père se met à rire fort et attrape ma mère par-derrière. Elle laisse échapper un petit cri de surprise pendant qu'il se met à l'embrasser dans le cou, les bras autour de sa taille. Je ne sais pas quoi faire. Je ne peux pas la laisser toute seule avec lui, pas comme ça. Je monte les marches deux à deux et je l'entends me crier de faire ça vite. Je ne veux pas y aller. Je ne veux pas faire mes bagages. Mais je n'ai pas le choix. Qui sait ce qu'il est capable de faire?

Mathis.

Je n'ai plus beaucoup de temps, ils m'attendent en bas.

Si tu lis ceci, c'est qu'il a réussi. Je m'excuse. Tu avais raison depuis le début.

Va à la police. Dis-leur tout. Et donne-leur mon cahier. Ils comprendront.

Je m'excuse.

Camille

- ses deux parents som devant elle
- Elle dit à Mathis de donner le cahier à la police
- sa mère à peur
- son père lui demande de faire ses bagages

– Vingt –

La pluie froide frappait le visage de Mathis,
mais il s'en foutait. Il courait le plus vite
possible, même si ses jambes menaçaient de
tomber sous son poids à chaque foulée. Au
loin, l'orage battait son plein. Chaque éclair
l'éblouissait, mais il ne perdait pas le cap. Il
aurait dû s'y rendre bien avant, dès qu'il l'avait
lu dans son cahier. Il n'arrivait pas à croire
que, tout ce temps-là, elle avait pu être juste
à côté de lui.

Il avait toujours su que la maison sur la
falaise n'était pas hantée. Il le savait depuis
le jour où il avait surpris une conversation
entre son père et Mams. Mais il n'avait jamais
cherché à y aller. Pour quoi faire ? Si sa grand-
mère lui avait interdit de s'en approcher,
elle devait avoir ses raisons. S'il avait su que
Camille s'y était rendue, il aurait pu lui dire,
l'avertir de ne pas s'en approcher.

Arrivé devant la porte, il entendit les chiens
se mettre à hurler, à japper. La même caco-
phonie qu'ils avaient entendue ce soir-là et
qui les avait effrayés au plus haut point. Mais
Mathis n'avait plus peur maintenant. Il cogna

281

sur la porte de toutes ses forces, à répétition. Il savait qu'il y avait quelqu'un à l'intérieur, il pouvait voir de la lumière filtrer derrière les rideaux dans les fenêtres. La porte s'ouvrit en même temps que le tonnerre se faisait entendre, plus proche cette fois-ci.

— Grand Dieu, jeune homme, qu'est-ce qui vous prend?

L'homme était plus grand et plus mince que Mathis ne l'avait imaginé. Il essaya de voir par-dessus l'épaule du vieillard à l'intérieur, mais il n'arrivait qu'à distinguer un petit téléviseur sur une table. Derrière l'homme, les chiens aboyaient dans sa direction.

— Couchés! Allez, couchés! cria l'homme à ses chiens en leur montrant le plancher. Qu'est-ce qui se passe?

— CAMILLE! CAMILLE!

Le visage de l'homme se transforma et il saisit Mathis par les deux épaules en le serrant très fort.

— Quoi, Camille? Qu'est-ce qu'elle a, Camille?

Mathis réalisa à l'instant qu'il devait avoir l'air complètement cinglé. Il laissa tomber ses épaules, découragé.

— Elle est pas ici?

— Mais pourquoi elle serait ici? Entre! Entre!

Mathis resta dans le cadre de porte, mais fit un pas en avant pour se mettre à l'abri de la pluie qui tombait à verse. La maison sentait le renfermé, le vieux tapis. Mais il s'en dégageait une telle chaleur qu'il sentit un frisson lui parcourir la colonne vertébrale.

— Tu es Mathis, c'est ça?

— Vous ne l'avez pas vue?

— Elle est venue me voir avant-hier soir. Je ne l'ai pas revue depuis. Vas-tu finir par me dire ce qui se passe?

Mathis étudia le vieil homme. Pendant des années, il s'était fait le portrait du monstre qui pouvait habiter cette maison. Jamais il n'aurait imaginé qu'il s'agissait d'un vieux monsieur chétif. Même lui aurait pu le casser en deux s'il l'avait voulu. Il n'avait rien d'épeurant, rien d'un monstre. Il avait plutôt l'air triste et bien mal en point. Son inquiétude avait l'air sincère. Mathis n'aurait pas su dire en quoi, mais l'homme qui s'était fait appeler Louis dégageait quelque chose de rassurant.

— Elle est disparue. Personne l'a vue depuis hier… personne.

L'homme porta une main à sa bouche, les yeux grands ouverts. Il était sous le choc. Il se mit à trembler légèrement et dut se retenir sur le mur pour ne pas perdre l'équilibre.

— Elle m'a parlé de son père…

— Oui, on sait déjà tout ça. Mais elle est pas avec lui. Elle est nulle part.

Sa voix se brisa. Il avait passé sa journée à parler à tout le monde, à la chercher. C'est seulement maintenant qu'il se trouvait là, dans la petite maison, que la réalité vint le frapper de plein fouet, comme si le dire une autre fois l'avait ancrée en lui. L'homme fit quelques pas et tira une chaise à lui sur laquelle il se posa, essoufflé.

— Si elle est nulle part, mon gars, c'est qu'elle a su bien se cacher. Elle est intelligente, cette petite-là.

— J'ai regardé partout. J'ai fait la côte au grand complet. Vous étiez mon dernier espoir qu'elle soit toujours…

— Non, ne dis pas ça. Faut pas dire ça. Pense, Mathis. Il y a assurément une place qui t'a échappé.

Le tonnerre secoua la maison. Mathis pouvait entendre au loin la mer se déchaîner, les vagues frapper le rivage de plein fouet. Il détestait les orages. Ils avaient toujours l'air pires sur le bord de l'eau.

— Y a pas un endroit où elle se sentirait en sécurité plus que n'importe où ailleurs? Un endroit où son père pourrait jamais la trouver?

Le ciel sembla se déchirer en deux. Au même instant, tout devint clair pour Mathis. Les paroles du vieil homme venaient de le frapper en plein visage. Il y avait un endroit, mais était-ce seulement possible? L'homme le regarda brièvement et se leva d'un bond.

— Oh, mon Dieu.

Il leva sa main tremblante vers Mathis, le regard rempli de consternation.

— Quoi?

— Derrière toi!

Mathis se retourna et crut perdre la raison. Ce qu'il avait pris pour un éclair continuait sa trajectoire dans le ciel qui commençait à devenir complètement noir. Une boule de feu rouge montait dans le ciel devant leurs yeux, loin au large. Arrivée à un certain point, la boule explosa et fit un bruit sourd, comme un feu d'artifice. Mais ce n'en était pas un, Mathis le savait. C'était une fusée de secours. Il n'en crut pas ses yeux. Qui serait assez fou pour partir en mer par un temps pareil?

C'est à ce moment-là qu'il comprit.

— *Fuck.*

Le vieil homme attrapa son imperméable sur le crochet près de la porte.

— Viens. On a pas une minute à perdre.

o Mathis se rend chez Louis

o Louis lui dit qu'elle serait à un endroit où elle se sentirait en sécurité au même moments ils voyent une fusé de détresse sur la mer

16 août

Je vais mourir ici.

Il y a sans doute des morts pires que celle-là.

À quoi ai-je pensé ? Mathis me trouverait sans doute stupide. Mais je n'avais pas le choix. C'était le seul endroit où il ne pouvait pas m'atteindre. Ce que je n'avais pas prévu, c'est que je tomberais à court d'essence. Sinon, je ne vois pas pourquoi le moteur du bateau ne voudrait pas partir. Et maintenant, je suis prisonnière de la mer. Et je n'ai aucun moyen de retourner au port.

Au début, je ne m'en suis pas trop inquiétée. J'ai jeté l'ancre pour être sûre de ne pas dériver, comme Mathis me l'avait montré. C'est quand le ciel s'est assombri que j'ai commencé à paniquer. Maintenant que je suis au centre de la tempête, je ne panique plus. Je sais que c'est la fin. C'est comme ça que je vais finir ma vie, à l'endroit même où je me croyais en sécurité. Et personne ne saura que c'est à cause de lui. Que c'est sa faute, tout ça. J'aurai passé ma vie à fuir la tempête pour la finir en plein milieu.

J'aurais voulu leur dire adieu. Je n'ai même pas pu leur dire au revoir. Ils ne doivent rien comprendre. J'espère qu'au moins, Mathis aura trouvé mon cahier. Ça me rassurerait de penser que, même si je suis morte, mon père n'aura pas réussi à remettre le grappin sur ma mère. Il a été horrible. Qu'est-ce que j'ai bien pu faire pour mériter un père comme lui ?

Je suis montée dans son camion, le cœur gros. Je ne sais pas comment il a réussi à convaincre ma mère de partir avec lui. Je préfère ne pas le savoir. Je ne voulais pas retourner là-bas. Il fallait que je trouve un moyen de m'enfuir, de téléphoner à la police. J'avais dit à Mams que j'allais regarder le feu d'artifice avec ma mère… personne n'allait se rendre compte de notre absence avant tard le soir, quand ils finiraient par s'apercevoir qu'on ne rentrerait pas. Je devais gagner du temps, l'empêcher de trop m'éloigner de la côte.

Partout sur la route, les gens étaient en train de faire la fête. Personne ne nous prêtait attention. Nous étions un véhicule parmi tant d'autres. Même si j'avais crié à l'aide, je crois que personne ne m'aurait prise au sérieux. J'essayais de croiser le regard de maman, mais elle ne faisait que fixer la route. Il a fini par se stationner devant un vieux motel sur la route 113. Il est sorti du camion et nous a laissées seules pour entrer dans la petite cabine au-dessus de laquelle il était écrit *Accueil*. Lorsque la porte s'est refermée derrière lui, j'ai enlevé ma veste et je me suis mise à fouiller dans la boîte à gants.

— Qu'est-ce que tu fais ?

— J'essaie de trouver le double des clés.

— Pour quoi faire ?

— Pour qu'on se pousse, c't'affaire ! Tu veux vraiment retourner en ville avec lui ?

— Camille, arrête !

Je me suis arrêtée net et j'ai regardé ma mère qui semblait sur le point de pleurer. J'aurais voulu ne jamais la revoir dans cet état-là.

— Maman… je t'en supplie, fais-moi pas ça. On était bien, non ? On va appeler la police, on va porter plainte. Tout va bien aller, tu vas voir.

— Camille, arrête ! Tu comprends pas. On a pas le choix.

La portière du côté conducteur s'est ouverte et mon père a grimpé dans le camion en sacrant. Il a frappé sur le volant.

— Les hosties, ils veulent pas me rembourser pour la journée, y disent qu'y est trop tard. Pfffft. Y est juste deux heures.

Il a redémarré le moteur pour aller se garer un peu plus loin devant les portes de chambres qui donnaient à l'extérieur.

— Ben, envoyez, sortez ! Tant qu'à payer pour, on va rester icitte c'te nuit, pis on va partir demain matin de bonne heure. Comme ça, on aura pas besoin de s'arrêter en chemin.

La chambre, la poussière, le moisi. Tout était sens dessus dessous. Les restants de pizzas, de cartons de restaurant traînaient un peu partout. Seul un des deux grands lits était défait. Personne n'avait dû faire le ménage là-bas depuis des semaines. J'ai frissonné en pensant au nombre de jours où il avait pu errer dans les environs à notre recherche. Depuis combien de temps était-il là ?

Maman s'est aussitôt mise à ramasser le bordel. Moi, je restais là, près de la porte. Incapable de bouger, mon sac à la main. Je ne voulais pas être là et je ne comprenais pas comment ma mère pouvait agir normalement. Entre les deux lits, j'ai aperçu un vieux téléphone beige, mais mon père a surpris mon regard. Aussitôt, sans prononcer un mot, il a arraché le fil de l'appareil du mur.

— Ben, reste pas là, Camille. Fais quelque chose !

J'ai déposé mon sac sur le lit le plus proche, celui qui n'avait pas été défait, et je me suis assise au bout en continuant de regarder ma mère nettoyer la pièce. Papa s'est penché et a ouvert la glacière posée à côté de la télévision. Il en a sorti une bouteille de bière qu'il a versée dans deux verres de plastique. Il en a tendu un à ma mère et a levé son verre.

— Un toast ! À nos retrouvailles !

Ma mère a bu une gorgée en grimaçant. Mon père a calé son verre.

— Je pensais que tu étais sobre.

— Camille, ciboère ! C'est juste une p'tite bière pour célébrer un peu. Commence pas, toi.

Il a allumé la télévision et s'est lancé dans le lit en lançant ses souliers à l'autre bout de la pièce. Il parlait. Mais j'étais incapable de l'écouter. Je restais les yeux rivés sur l'écran de télévision à tenter de comprendre comment j'en étais arrivée là. Et comment j'allais réussir à m'enfuir. Il fallait que je m'enfuie.

Des heures interminables ont suivi. Ancrée dans le fond du grand lit, j'ai regardé le temps passer sur le petit cadran posé sur la table de chevet, pendant que mon père et ma mère «se réconciliaient» à coups de bières. Mon père riait de bon cœur, parlait fort, comme si la situation était normale. Essayer de discuter avec lui n'aurait servi à rien. Plus il s'enivrerait, plus il deviendrait agressif. De toute manière, s'il était là, c'est qu'il était déterminé à ne pas repartir sans nous.

Je n'ai presque pas touché à la pizza qu'il avait fait livrer. J'avais faim, pourtant, mais cette chambre me donnait mal au cœur. Peut-être aussi que c'était la situation. Je me suis mise à avoir mal à la tête, à ne plus penser clairement. Le soir a fini par venir, lentement. J'aurais voulu être dehors en train de fêter, d'attendre avec impatience les feux d'artifice. Je pouvais imaginer Mams, Florence, Lucas et Mathis assis sur leurs chaises pliantes en train de se faire un barbecue, entourés d'amis et de connaissances, la musique acadienne partout, les rires, l'air frais du mois d'août. Si seulement ils avaient su où je me trouvais pendant tout ce temps-là. Au moment où ils se rendraient compte de mon absence, je serais déjà loin en route vers le Québec. «On va partir au petit matin», avait dit mon père. Mais je voyais son ivresse empirer… S'il avait pu simplement s'endormir, je me serais éclipsée pour aller appeler la police à l'accueil.

Puis le monstre en lui s'est réveillé. Il le fallait bien.

Il a attiré maman contre lui et s'est mis à l'embrasser, à la toucher partout avec insistance. Au début, elle a ri nerveusement en refusant ses caresses, mais plus elle reculait, plus il se faisait insistant.

— François, Camille est juste là, à côté.

Je ne regardais même plus la télévision. Mes yeux étaient rivés sur la fenêtre. Dans la petite embrasure du rideau, j'arrivais à voir à l'extérieur. J'avais l'impression d'être assise là depuis des jours, et pourtant, la noirceur n'était pas encore tout à fait tombée. Chaque minute était un supplice.

— François, arrête, je te dis.

— *Come on*, Caro! Ça fait trop longtemps. T'es tellement belle.

— Pas devant la p'tite…

Pas devant la p'tite... Je l'avais entendu des milliers, des millions de fois. À la maison, il m'aurait ordonné d'aller dans ma chambre où j'aurais tout fait pour ne rien entendre. Ici, je n'avais nulle part où aller, pas d'écouteurs à me mettre sur les oreilles. Je les avais laissés au restaurant.

J'aurais dû me taire. J'aurais dû faire semblant de dormir.

— Camille, ça te tente pas de dormir un peu? qu'il m'a lancé, la bouche pâteuse.

Je ne me suis même pas retournée vers lui. J'étais enragée, affamée, épuisée. J'étais hors de moi. Mon corps s'est mis à vibrer sous la colère, comme la veille au restaurant. Je me suis fait peur à moi-même.

— Tu vois ben qu'elle veut pas! Ça fait cinq fois qu'elle te dit non!

Quand j'ai tourné la tête il était déjà sur moi. Je n'avais rien vu venir. J'ai seulement senti le coup sur le côté de ma tête comme si une voiture venait de la frapper de plein fouet. Ma vue s'est obstruée, je ne voyais que des points noirs devant mes yeux. Et sa voix. Sa voix rauque et molle, son haleine puant le houblon. Ses mots. *Ma p'tite câlisse. M'as t'apprendre, moi, à répondre de même à ton père.* J'étais trop sonnée pour me débattre, pour crier. Je l'ai laissé m'assener ses coups pendant que ma mère lui sautait sur le dos en hurlant de me laisser tranquille. J'ai ressenti un grand vide. Comme une libération. Qu'il me batte, qu'il me traite de tous les noms. J'étais plus forte que sa violence. Et je le voyais maintenant pour ce qu'il était, ce qu'il avait toujours été. Un petit monstre, un garçon gâté et capricieux. Un lâche.

J'ai fini par réussir à passer sous lui, à me défaire de son emprise physique et j'ai couru jusque dans la salle de bain où je me suis enfermée. Il a frappé dans la porte en me criant des bêtises. J'ai cru pendant un moment qu'il allait réussir à la défoncer. Je suis restée assise par terre, à côté de la baignoire, à attendre que le moment vienne où il surgirait dans la pièce pour m'achever. Je pouvais goûter le sang dans ma bouche, sentir ma lèvre enfler. La douleur lancinante sur mon crâne allait et venait au rythme de mon cœur. Je n'étais pas morte. Mais à l'intérieur, il avait réussi à m'anéantir comme jamais il ne l'avait fait avant.

Il a cessé de donner des coups dans la porte et je les ai entendus s'engueuler. Rien n'avait changé, rien ne changerait. C'était la même musique qu'avant, les mêmes habitudes. D'une certaine manière, j'ai trouvé ça apaisant. J'avais l'impression de m'emmitoufler dans une vieille couverture. J'ai fermé les yeux et j'ai essayé de ne pas entendre, de ne pas vivre cet instant-là. Mais je sais maintenant que jamais je ne pourrai oublier ce moment-là. Il me suivra toute ma vie. Je suis restée là, enfermée dans le noir, dans la salle de bain miteuse d'un motel, le visage en sang, à écouter ma mère se faire violer.

J'ai dû perdre connaissance à un certain moment, je n'en suis pas certaine. Je me rappelle que le silence a semblé sortir de nulle part. J'avais l'impression d'être dans le brouillard. J'avais froid. Mais aucun bruit ne se faisait entendre de l'autre côté de la porte. Le plus horrible a été la pensée que, peut-être, enfin, ils avaient fini par s'entretuer. Je n'ai pas osé bouger. Pas tout de suite. Mon corps était lourd, endolori. Il avait dû me frapper plus que je ne l'imaginais. J'ai finalement trouvé la force de ramper jusqu'à la porte. En y posant l'oreille, j'ai entendu le ronflement familier de mon père de l'autre côté. Il dormait. Profondément.

Tranquillement, le plus silencieusement possible, je me suis faufilée hors de la salle de bain. Le tapis étouffant mes pas, j'ai attrapé mes espadrilles, mon sac, et j'ai regardé la porte de la chambre. Je devais agir vite, faire le moins de bruit possible. J'ai enfilé mes souliers, mis mon sac sur mon dos au ralenti, l'oreille attentive au moindre bruit. J'ai jeté un regard au lit où il était allongé sur le dos à côté de la silhouette inerte de ma mère. Il fallait qu'elle respire, je voulais m'en assurer. Mais mon père a bougé la main dans son sommeil et je n'ai pas hésité une seconde de plus.

Quand j'ai réalisé qu'il n'y avait personne derrière le petit comptoir à l'accueil, j'ai compris qu'il devait être plus tard que ce que j'avais cru. Le motel était plongé dans le noir. Seul l'écriteau sur le bord de la route déserte éclairait le stationnement. La nuit s'était installée sans que je m'en aperçoive et autour de moi, le seul bruit qui se faisait entendre était celui des néons qui grésillaient et des insectes. Je ne pouvais pas rester là. Dès qu'il s'apercevrait que je n'étais plus dans la chambre, il se mettrait à ma recherche. Il n'y avait rien d'autre à faire.

J'ai couru.

Je ne sais pas comment j'ai pu, ni combien de temps ça m'a pris. Je fuyais. Rien d'autre n'avait de sens. Fuir. Courir, le plus vite possible, le plus loin possible. Mon corps me faisait mal chaque fois que mes pieds faisaient un pas, mais j'ignorais la douleur. Mes jambes se sont mises à tenir le rythme, à avancer d'elles-mêmes, comme si j'étais en transe. Mon corps ne m'appartenait plus. Je ne voyais même pas où j'allais. Mes yeux étaient embrouillés par les larmes, mon souffle était court, saccadé. Chaque inspiration brûlait ma cage thoracique, c'était comme si j'avalais du feu chaque fois que je respirais. Fuir. Courir. N'importe où.

Dans ma course, j'ai essayé de me souvenir où était le poste de police le plus proche.

Mathis me l'avait montré à mon arrivée, mais je n'arrivais pas à penser. J'aurais pu aller cogner à une porte, demander de l'aide. J'aurais dû. Mais je n'arrivais pas à penser correctement. Je ne me concentrais que sur une chose : m'éloigner le plus possible du motel, de la route. Chaque voiture qui passait semblait ralentir en me voyant. Mon cœur arrêtait de battre un instant, tétanisé par la peur que ce soit lui. J'ai commencé à reconnaître des maisons au loin, à savoir un peu plus où j'étais. L'eau. Il fallait que je trouve la mer. À partir de là, je saurais où aller.

Il y a des gens qui réussissent à penser clairement en faisant un effort physique considérable. Je ne suis pas de ceux-là. Je n'arrivais pas à me fixer une destination, un plan d'action. Je paniquais. J'étais loin, trop loin. Je ne pourrais jamais arriver chez Mams à temps, il finirait par me rattraper sur la route. J'en étais certaine, j'étais terrorisée. Je n'étais même plus certaine d'avoir pris le temps de refermer la porte derrière moi. Je regardais constamment derrière mon épaule pour m'assurer qu'il ne m'avait pas rejointe.

Quand j'ai vu l'écriteau, mon corps a réagi tout seul. Il n'y avait pas d'autre endroit où aller, c'était comme si le destin me montrait le chemin. J'ai bifurqué sur une autre route, vaguement familière. C'était différent la nuit, je n'étais même pas certaine de me rendre au bon endroit, mais j'ai continué ma course, à bout de souffle, persuadée que j'allais finir par m'écrouler avant d'arriver. J'allais crever sur l'asphalte humide d'une rue inconnue en plein milieu de nulle part. Puis j'ai reconnu la maison. Puis l'autre. Puis la petite crémerie, la poissonnerie, le petit *snack-bar*... l'odeur de l'eau salée, le vent du large. J'étais tout près. J'ai quitté le bord de la route pour piquer à travers les terrains. Quitter la route m'a fait du bien. Je me suis mise à respirer un peu mieux, comme si j'étais à ma place. J'étais aussi soulagée de ne plus être sur une route déserte bordée par des forêts sombres dans lesquelles j'aurais été contrainte de me réfugier s'il en était venu à me rattraper.

Quand j'ai vu le port, je me suis écroulée dans l'herbe. Je suis restée là un moment à reprendre mon souffle. J'étais si proche, il ne me restait qu'un bout de chemin à faire. Pourtant, j'aurais pu m'assoupir là, dans le gazon humide. Je tremblais. Je pouvais sentir le froid jusqu'au fond de mes os, chacune de mes extrémités était prise de spasmes. Le golfe du Saint-Laurent s'étendait loin devant moi dans la noirceur. Mais comme une lueur d'espoir, j'arrivais à apercevoir la ligne du ciel se détacher de l'horizon dans un mince filet doré. J'entrais dans le matin, meurtrie mais en vie.

Je n'avais plus la force de courir. Je me suis rendue en boitant jusque sur les quais de ciment déserts. Personne en vue, pas un bruit à part celui du vent qui venait fouetter mon visage. Et le son réconfortant de la mer, celui du chaos apaisant du large. Il ne viendrait pas là-bas. Même ma mère ne connaissait pas l'endroit. J'ai sauté sur le petit bateau de pêche de mon oncle Lucas, et tout de suite, je m'y suis sentie mieux. J'ai trouvé la petite clé cachée sous le vieux casier à homards et je suis entrée à l'intérieur de la cabine. Aussitôt la petite porte refermée et verrouillée, mes jambes ont flanché. J'ai laissé tomber mon sac et je me suis étirée pour attraper la grosse couverture qui traînait là depuis notre dernière excursion. J'ai tenté de me réchauffer, d'arrêter de grelotter. Je me sentais fiévreuse et sale, au bout de mon énergie. J'avais tout donné pour arriver là. Mes vêtements étaient trempés par ma sueur. Mais j'étais au chaud maintenant. J'étais en sécurité.

Une fois que ma vue s'est acclimatée à la noirceur, j'ai regardé autour de moi dans la petite cabine. La réalité m'a frappée de plein fouet et je me suis mise à pleurer silencieusement. Quelque part entre l'épuisement et ma tristesse, mon corps a lâché prise et j'ai sombré dans l'inconscience.

Quand j'ai ouvert les yeux, il m'a fallu un moment pour comprendre où j'étais. J'ai eu l'impression de me réveiller d'un long sommeil sans rêves, j'étais complètement déboussolée. Je ne sais pas combien de temps j'ai pu dormir au fond de la cabine du bateau, recroquevillée sur moi-même, perdue dans l'immense couverture, mais le jour était probablement levé depuis un bon moment. Aucun moyen de le savoir. Même le soleil semblait s'être enfui. Le ciel était gris et morne. Lourd. Je me suis levée péniblement et je me suis assise sur le siège du capitaine. Le port était désert, je ne l'ai jamais vu aussi tranquille.

Machinalement, je ne sais pas trop pourquoi, je suis sortie de la cabine et j'ai défait les amarres. J'ai sorti la clé de ma poche et j'ai démarré le moteur. Mathis m'avait fait naviguer une fois, c'était un jeu d'enfant, mais c'était la première fois que je tentais de sortir du port. Après quelques essais, je me suis retrouvée avec le golfe devant moi. Assise derrière mon petit volant, j'ai pesé sur la petite pédale et j'ai entendu le moteur gronder, me propulser vers l'horizon. Je me suis sentie bien, malgré tout. J'en avais besoin. J'avais besoin d'être au milieu de nulle part, au seul endroit où je m'étais sentie complètement libre dans ma vie. J'avais besoin de ressentir ce bonheur-là avant d'aller affronter la suite des choses. Juste une petite dose... après je rentrerais.

Quand la côte m'a semblé assez minuscule, j'ai arrêté le moteur et j'ai pris une grande respiration. Mon estomac s'est rempli de chatouillements, comme si j'étais nerveuse, excitée à l'idée de me retrouver là, complètement seule avec la mer. J'ai fouillé dans mon sac pour trouver un chandail chaud que j'ai enfilé par-dessus mes vêtements de la veille. Dans la cale, j'ai réussi à trouver du papier et un crayon. En remontant, je me suis pris une bouteille d'eau et je suis sortie sur le pont pour me remplir d'air frais. Le vent était beaucoup plus fort que je ne l'avais imaginé, mais je ne m'en suis pas souciée. J'ai attrapé la couverture et je suis montée sur le gaillard. Adossée au pare-brise de la cabine, je suis restée assise là longtemps, la couverture sur mes épaules, à me laisser bercer par la mer. Je me suis préparée mentalement à mon retour sur la terre ferme. Étape par étape, j'ai visualisé chaque geste, repensé chaque mot. La journée serait longue et pénible. Triste, sans doute. Mais j'allais le faire. Ç'aurait déjà été fait s'il n'était pas venu me kidnapper dans la maison de ma grand-mère.

Je lui en veux.

Quand j'ai réalisé que le moteur ne partirait plus, je n'ai pas paniqué. Puis le ciel gris est devenu de plus en plus noir et la pluie s'est mise à tomber. Le destin a une drôle de manière de faire les choses. J'ai l'impression qu'il s'acharne sur moi, que le ciel me tombe sur la tête. À l'extérieur de la cabine, les vagues viennent frapper le bateau sans merci et je sens le tonnerre retentir jusque dans mes tripes. Autour de moi, les éclairs viennent finir leur vie dans l'eau. Le bateau va et vient, monte et descend. Mais je n'ai pas peur. Je crois que je n'en suis plus capable. J'accepte mon sort comme une fatalité.

C'était peut-être ma dernière heure, après tout. Je ne l'aurai qu'étirée.

- Its vont dans un mce
- Camille lui CRi dessu et il commence à la batre
- elle a reùssi à s'enfuir
- Elle est seul sur la mère

– Vingt et un –

Mathis n'avait jamais pris la mer pendant un orage. Encore moins avec un inconnu. Mais lorsque le vieil homme lui avait dit de monter, il n'avait pas hésité une seconde.

— Je vais avoir besoin de toi, mon garçon. J'y arriverai pas tout seul.

Ils n'avaient pas prononcé un seul mot de tout le voyage en voiture, préférant, chacun de son côté, rester dans un silence inconfortable. Il conduisait vite malgré l'orage. Si ses craintes se concrétisaient et que la petite Camille était prise au large dans la tempête, il fallait la sortir de là le plus vite possible avant que le bateau ne cède aux vagues et au vent. Il entra sur le petit quai avec sa voiture et l'immobilisa sec.

— Mathis, vois-tu le bateau de ton père?

— Non. Il est pas à sa place!

Mathis était cependant persuadé de l'avoir vu le matin même alors qu'il cherchait Camille. Il avait vérifié. Le vieil homme mit aussitôt le véhicule à reculons et fit un demi-tour en accélérant de plus belle. Mathis s'accrocha tant bien que mal. L'homme conduisait nerveusement et il n'était pas trop certain d'aimer ça.

— Je comprends pas! Où est-ce qu'on va? Qu'est-ce qu'on fait?

En gardant toujours un œil sur la route, l'homme ouvrit la boîte à gants et en sortit un vieux téléphone portable qu'il alluma aussitôt, puis il le tendit à Mathis.

— Appelle tout de suite ta grand-mère. Dis-lui qu'on est en route pour le port de Shippagan, de rappliquer au plus sacrant. Elle va vouloir être là quand on va la ramener.

Shippagan. Dix minutes les séparaient du port de Shippagan, le plus gros de la région. Mathis comprit tout de suite ce qui allait se passer et son cœur se mit à battre la chamade. Il composa le numéro à toute vitesse. Mams était paniquée au bout du fil. Elle avait vu, elle aussi, la fusée de détresse illuminer le ciel, mais elle était surtout confuse d'entendre Mathis dans son téléphone.

— Mathis, où est-ce que t'es?

Il se rendit compte de l'étrangeté de la situation. Il hésita un instant, mais ne trouva pas d'autres mots pour le dire. Il n'avait pas le temps de tout expliquer.

— Je suis en route vers le port de Shippagan avec… grand-papa.

Mams resta muette au bout du fil et, après un moment, la ligne coupa. Soit elle avait raccroché, soit la communication avait été interrompue. Le réseau était toujours incertain dans le coin. Mathis regarda l'homme qui conduisait. Son regard demeurait impassible, mais celui qui s'était fait appeler Louis se sentit envahi par une drôle de sensation. *Grand-papa.* On ne l'avait jamais appelé comme ça avant. C'est pourtant ce qu'il était. Il était d'ailleurs surpris que le petit soit au courant. Lucy lui avait toujours dit qu'il ne ferait jamais partie de sa vie.

Ils arrivèrent au port en un temps record. À peine furent-ils sortis de la voiture que quelqu'un vint à leur rencontre. C'était un jeune homme portant un manteau rouge. Il essayait de maintenir son capuchon en place sur sa tête.

— Commandant, qu'est-ce que vous faites là?

— As-tu reçu un signal de détresse venant d'un bateau de pêche?

— On vient juste d'en recevoir un, mais le signal s'est interrompu. Jacques est en communication avec le Centre à l'instant où j'vous parle. Comment vous le savez?

— C'est ma petite-fille. Et elle ne connaît rien à la navigation. Vous avez pas vu le feu de détresse?

Le jeune homme secoua la tête.

Ils se mirent à courir vers le navire rouge et blanc qui était accosté à quelques mètres de là. Mathis passa le bras du vieil homme autour de son cou pour le supporter. Il avait peine à marcher, courir devait le faire souffrir. Il crut entendre, à travers la pluie, celui-ci le remercier. En arrivant à la hauteur de l'embarcation, un homme plus vieux sauta sur le quai.

— Faustin?

— Stan, c'est toi l'officier responsable aujourd'hui?

— Oui, qu'est-ce qui se passe?

— C'est ma petite-fille, là-bas.

Au moment où il désignait le golfe, un autre feu de détresse fit irruption dans le ciel. Aussitôt, tous les hommes présents autour du navire passèrent à l'action. Le vrombissement du moteur se fit entendre, d'autres lumières sur le dessus du navire s'allumèrent. L'homme qui s'appelait Stan courut vers la petite cabane et en ressortit avec deux manteaux rouges qu'il tendit à Mathis et à son grand-père.

— Je peux pas l'embarquer, lui, par exemple. C'est trop dangereux.

Le vieil homme se retourna vers Mathis, les yeux brillants. Il le prit par les épaules, ému.

— Mathis, va falloir que tu m'attendes ici. Je vais la ramener saine et sauve, tu m'entends? Je vais la ramener.

Mathis ne bougea pas. Il regarda le vieil homme monter à bord du navire avec quatre autres hommes et resta là, sous la pluie battante, jusqu'à ce que le bateau ait franchi le pont levant. Il avait l'impression que son cerveau avait été passé au tordeur. Trop de questions lui venaient en tête, trop de pensées. Commandant? Le grand-père qu'il n'avait jamais connu était commandant de la garde côtière? Comment se faisait-il qu'il n'en avait jamais rien su? Depuis qu'il était tout petit, toute discussion au sujet du père de sa mère avait été proscrite. Son nom même était devenu tabou. C'était le seul sujet qu'on n'avait pas le droit d'aborder dans la maison de Mams, sous aucun prétexte. Cet homme-là n'avait rien de celui dont on lui avait fait le portrait. Celui qu'avait décrit Camille dans son cahier non plus.

Le jeune homme qui était venu les rejoindre plus tôt arriva à sa hauteur et lui donna une tape dans le dos.

— Viens à l'intérieur, mon vieux. Tu vas attraper ta mort ici.

Mais Mathis refusa de bouger. Il resterait là, tant et aussi longtemps qu'il ne verrait pas le navire rouge et blanc revenir avec le bateau de son père… avec Camille.

- Ils vont ~~sauvetage rose~~ souver Camille
- Louis est le grand-père de Camille

20 août

Rien ne pourra jamais décrire le sentiment que j'ai éprouvé quand j'ai aperçu les lumières à l'horizon s'approcher du bateau. Dans une ultime tentative pour déjouer le destin, j'avais allumé les fusées de détresse que j'avais trouvées dans la cale. J'ai tenté par tous les moyens de communiquer avec quelqu'un sur la vieille radio, mais je n'avais aucune idée comment elle fonctionnait. On m'a dit, plus tard, que j'avais réussi à envoyer un signal de détresse. Encore aujourd'hui, j'ignore comment. Peu importe.

Au milieu de la tempête, ils sont venus me secourir. Ces anges gardiens vêtus de rouge ont remorqué le petit bateau de pêche de mon oncle jusqu'au port. Il devait être minuit quand j'ai posé les pieds sur le quai. Je me souviens des gyrophares, du chaos qu'il y avait autour. Mais tout ça reste flou, un peu comme si je l'avais rêvé. Le médecin dit que c'est généralement ce qui arrive quand on est en état de choc. Mais je peux encore sentir les bras de Mathis au moment où il a couru vers moi. Cette étreinte-là, je la garderai toujours en moi. Je pleurais, il pleurait. Tout le monde pleurait. Même l'inspecteur Aubin avait l'air ému.

Je me souviens qu'ils voulaient m'emmener en ambulance, mais quand j'ai vu monsieur Louis descendre du navire de la garde côtière aidé d'un officier, je me suis élancée vers lui. C'est sa voix qui avait brisé la nuit alors que j'étais terrifiée sur le petit bateau. C'est sa voix qui m'avait calmée, guidée. Qui m'avait sauvée. Je ne savais pas encore qui il était. Sauf que je savais, à partir de ce moment-là, que je lui devais la vie. Malgré son âge, malgré sa faiblesse, il s'était embarqué sur le navire de sauvetage et était venu me secourir. Il n'avait pas hésité une seconde, selon ce que Mathis m'a raconté. Je n'étais déjà plus là quand Mams s'est avancée vers lui pour le remercier. Il paraît que ma tante Florence a beaucoup pleuré, que ma mère a pété un plomb aussi. Ce doit être étrange de revoir son père après autant d'années quand tu crois qu'il est mort et enterré. Mams aurait peut-être fait les choses différemment si elle avait su. Peut-être pas.

J'ai passé deux jours à l'hôpital. Quand j'y suis arrivée, j'étais en état de déshydratation avancée, à ce qu'on m'a dit. J'étais à peine consciente. Le médecin m'a dit que j'avais poussé mon corps à bout, que c'était presque un miracle que j'aie réussi à me rendre au port les côtes fracturées. C'est l'adrénaline qui m'a tenue debout tout ce temps-là. Il avait l'air impressionné.

J'ai beaucoup parlé avec l'inspecteur Aubin. Je lui ai tout dit. De toute manière, il savait déjà pas mal toute l'histoire. Il m'a même remis mon cahier après en avoir fait une copie pour mon dossier. Il m'a dit de ne pas m'en faire, que mon père avait été arrêté, qu'il faisait face à plusieurs chefs d'accusation. C'est la DPJ maintenant qui s'occuperait de mon cas. Je l'ai remercié. En sortant de l'hôpital, j'ai demandé à Mams qu'on lui envoie des fleurs, un énorme bouquet. Je voudrais lui en envoyer tous les jours, pour qu'il comprenne à quel point je lui suis reconnaissante de ce qu'il a fait pour moi. Jamais il n'a douté de mon histoire. Jamais il ne m'a jugée. Il a simplement tout mis en œuvre pour que jamais, plus jamais, je n'aie peur de mon père.

J'ai eu droit à toutes les visites, à toutes les excuses. J'ai eu droit à des crises de larmes, des confessions, des sentiments de culpabilité, à des rires nerveux. Je n'en veux à personne. Ce n'est pas de leur faute. Même ma mère, je ne peux lui en vouloir. Elle a beaucoup pleuré, ma mère, elle a eu mal.

«Arrête de pleurer, maman. C'est fini maintenant, pour vrai. Je ne couvre plus personne. Il ne pourra plus jamais s'approcher de moi, de nous. Maintenant, c'est à toi de faire ce qu'il faut pour te remettre sur pied. Je vais t'aider, tu vas voir. »

Mathis est venu me voir en compagnie de Kevin. J'aurais voulu qu'il me voie autrement, mais il a été gentil. Trop gentil. Il n'a même pas parlé du piteux état de mon visage. Il a fait comme si ça n'existait pas. C'était pourtant dur à manquer. J'avais des points de suture près des yeux et la moitié du visage violacée. Ma lèvre inférieure avait déjà commencé à désenfler, mais ma face affichait toujours le triste souvenir de ma rébellion contre mon père. Mais non. Kevin s'est assis à côté de moi, souriant, parfait. Mathis est resté en retrait dans le cadre de la porte. Je l'ai remercié plus tard de comprendre. Il a répondu quelque chose de stupide, comme d'habitude. Je voyais bien que ça lui faisait quelque chose.

— J'aurais pas dû te le cacher, que je lui ai dit.

— Bah ! Si tu savais toutes les blondes que je te cache, la cousine !

À un certain moment, Florence l'a obligé à rentrer à la maison pour dormir un peu. Depuis que j'avais été admise, il n'avait pas voulu quitter l'hôpital, préférant même dormir sur une chaise en plastique dans la salle d'attente. Il a fini par céder. Ma tante peut être insistante quand elle s'y met.

Le dernier soir que j'étais là, bien après les heures de visite, je me suis réveillée pour apercevoir Mams à mon chevet. Elle était belle. Elle avait coiffé ses cheveux et revêtu une belle robe. Elle ma regardée, la tête haute et fière, les lèvres serrées. Je lui ai souri tendrement en lui agrippant la main. Elle me l'a serrée très fort, presque en tremblant. C'est là que j'ai vu ses yeux se remplir de larmes. Elle a bien tenté de le cacher, mais elles coulaient sur ses joues, sur son visage impassible.

— C'est correct, Mams. Je suis correcte. Pleure pas.

Elle s'est redressée en levant les yeux au ciel. J'aurais voulu qu'elle lâche prise, qu'elle me dise ce qu'elle avait sur le cœur. Mais ma grand-mère, je commence à la connaître, elle porte son indépendance sur ses épaules. C'est sa fierté, sa force.

— Ma belle Camille, ma belle fille. Le jour où j'ai mis ton grand-père à la porte, je me suis juré de ne plus jamais laisser la violence entrer dans ma maison… et j'ai échoué. Je vais m'en vouloir toute ma vie de ne pas avoir réagi à temps.

— Mams…

— Ne-non, attends. Laisse-moi finir. J'ai passé ma vie à cultiver le silence. Même quand j'ai cru que j'allais mourir de ses coups, j'ai rien dit. Quand il a commencé à s'en prendre aux filles, j'ai pris la décision de le chasser de ma vie. Mais je n'ai jamais rien dit à personne, parce que dans c'temps-là, tu comprends, le divorce, c'était pas une option. Il est revenu au bout de quelques années, je l'ai pas repris. Un caractère, ça revient vite, et je ne voulais pas courir le risque de revivre ça. Je l'ai laissé s'installer dans la maison d'été, tout était à son nom de toute manière. Mais y a pas une journée où je me suis pas réveillée en plein milieu de la nuit avec la peur au ventre. On a vécu chacun de notre côté, pis avec les années, j'ai fini par oublier qu'il était là. Quand ta mère m'a présenté ton père, j'ai tout de suite vu quel genre d'homme c'était. Mais elle était déjà enceinte de toi, pis elle l'aimait donc, son beau François! Pis j'avais pas de preuves. Je pouvais rien faire. Elle jouait bien son jeu, ta mère. Pis un été, ils sont venus passer leurs vacances ici. T'étais petite, t'étais adorable. T'avais trois ans. Mais ton père, lui, il avait pas changé. Je l'ai surpris, un matin, à lever la main sur ta mère. J'aurais pu le tuer drette là. J'avais le couteau dans ma main. Mais Caroline m'a suppliée de passer l'éponge. Elle m'a dit que c'était la première fois, que c'était de sa faute… On s'est chicanées fort, c'te journée-là. Je le regrette aujourd'hui. Parce que je l'ai pas revue pendant onze ans. J'aurais dû faire quelque chose… Pour toi.

— Mams…

— Je m'excuse, Camille.

— Mams! C'est pas de ta faute.

Je pleurais moi aussi. Je pouvais ressentir toute sa douleur, l'urgence qu'elle avait de me dire ça. Elle devait avoir couvé son secret bien longtemps. Mais ce n'était pas de sa faute, elle devait le savoir. La seule personne responsable de tout ça, c'était mon père. Nous avions tous gardé le silence.

— Je m'en vais plus nulle part maintenant. Je reste avec toi.

Mams a souri en essuyant les larmes sur son visage. Elle avait l'air moins sévère tout à coup, plus légère. Quelque part dans son visage souriant, dans ses yeux humides, pour la première fois, je me suis reconnue.

Mathis a voulu venir avec moi, mais je lui ai demandé de me laisser seule. Je veux lui parler face à face, cette fois seulement. C'est le petit Crook qui m'aperçoit en premier. Il accourt à ma rencontre et se met à tourner autour de moi en lançant ses petits jappements. Il a l'air ridicule. En quelques secondes, j'ai trois chiens surexcités qui m'accompagnent dans ma marche. Quand j'arrive devant la petite maison, il est déjà dans l'embrasure de la porte, son bâton de marche à la main... mon grand-père.

Je le serre dans mes bras. Son thorax se soulève et il expire longuement, retenant son émotion. J'ai envie de rester là, dans sa chaleur. Mon ange gardien, mon sauveur. Je sais maintenant qui il est, qui il a été. Mais pour moi, il restera toujours ce vieux monsieur au grand cœur qui a su m'écouter quand j'en avais besoin, qui m'a montré à chasser le verre de mer. Celui qui m'a accueillie chez lui comme une amie.

— Tu as l'air mieux.

— Je le suis. Un peu. J'ai encore mal, mais le docteur m'a donné des petites pilules magiques. Alors quand je les prends, je ne sens plus rien. Puis vous? Vous avez l'air enrhumé.

— Bof, tu sais, c'est ça qui arrive quand tu vas secourir des petites filles en pleine tempête!

On se met à rire. J'essaie de ne pas trop m'esclaffer, j'ai les côtes encore sensibles et chaque fois que je ris, la douleur revient.

— Je vous appelle comment maintenant? Grand-papa? Faustin? Monsieur Faustin? Ou bien je continue de vous appeler Louis?

— Louis, c'était le nom de mon frère. Et pour ce mensonge-là, je te prie de m'excuser. Je savais pas trop comment réagir cette journée-là, quand t'as retonti à ma porte.

— Je comprends.

— Grand-papa, je suis pas certain de pouvoir m'habituer. Mais tu peux m'appeler comme tu veux, Camille.

Je l'invite à nous rejoindre pour le souper. Le barbecue est déjà en marche, les homards sont sur le brûleur et Mathis a allumé un grand feu de joie. J'ai demandé à Mams si je pouvais l'inviter et, après avoir soupesé la situation, elle a accepté.

— Oh. Camille, je sais pas… je pense pas que… c'est gentil. Mais je crois que je vais rester ici, je vous observerai de loin.

— Mais pourquoi ? C'est correct, j'ai demandé à Mams.

Son regard se perd au loin. Le ciel commence à prendre des teintes de rose et d'orangé, la mer est calme. Il semble penser longuement. Je n'ose pas insister, mais je veux quand même savoir à quoi il pense.

— C'est compliqué, Camille. Il y a des choses que j'ai faites que je peux pas effacer, des choses qui se pardonnent pas. Je pense pas être à ma place là-bas.

— Vous devriez peut-être essayer… vous avez changé.

Il me sourit affectueusement, les yeux humides.

— Tu sais, y a pas une journée où je regrette pas ce que j'ai fait.

— Alors, venez leur dire !

Il secoue la tête.

— Pas aujourd'hui, Camille. Un jour, peut-être… tranquillement. Mais je vais passer mon tour pour ce soir. Tu remercieras ta grand-mère de l'invitation et tu salueras tout le monde de ma part, OK ?

— Y a rien que je puisse faire pour vous faire changer d'idée ?

Il a l'air triste et heureux en même temps. Je me mets sur la pointe des pieds et je l'embrasse sur la joue avant de le reprendre dans mes bras. Avant de le quitter, je le remercie une fois de plus de m'avoir sauvé la vie.

— Merci à toi d'avoir sauvé la mienne.

Les chiens me suivent pendant un moment et, arrivés à un certain endroit du terrain, ils s'immobilisent, comme s'ils savaient qu'ils n'ont pas le droit de dépasser une certaine frontière entre leur terrain et celui de la maison de Mams. Je me retourne et j'envoie la main à mon grand-père qui est toujours sur le pas de la porte, au loin. Je ne peux pas lui en vouloir. C'est dur de réveiller ses vieux démons, de vivre avec jour après jour. J'aurais quand même voulu l'avoir avec nous. En temps et lieu, je l'espère, il reprendra sa place dans la famille.

Je me demande si mon père changera, lui aussi. Je sais désormais que c'est possible, qu'un regret peut être sincère. Que, même si on n'oublie jamais, le pardon aussi est envisageable. On ne peut pas effacer le passé, mais on peut le laisser de côté. Serai-je capable un jour de pardonner à mon père ? Je ne sais pas. Le temps le dira. Je me contente de regarder en avant. Je ne quitterai pas le Nouveau-Brunswick. Je vais habiter chez Mams quelques jours par semaine, et je passerai mes week-ends avec ma mère. C'est ce qui a été convenu avec la travailleuse sociale que nous avons rencontrée. Juste le temps que les choses se calment, que nous sachions ce qu'il adviendra de mon père. Je préfère ne pas trop y penser. Il est incarcéré pour l'instant. Ça me suffit.

Florence a posé une grande nappe sur la table que Mathis et Lucas ont installée dehors. Maman a planté des lampes torchères aux quatre coins, c'est splendide. Kevin est là. Il vient me rejoindre et me tend la main. Ça me gêne, mais je la prends pareil, l'amour au fond de l'estomac. Je suis contente qu'il soit là, même si ma mère désapprouve un peu et que Mams le guette sans arrêt d'un œil. Elles ne pourront pas me protéger à jamais. Je sais ce que je fais.

Je regarde le feu qui monte sur le spectacle magnifique que nous offre l'horizon. Je serre la main de Kevin, heureuse. Il me regarde en souriant. Il a l'air gêné lui aussi d'être là. Mathis arrive à côté de moi, les bras derrière le dos.

— Qu'est-ce que tu caches?

Il me tend un paquet soigneusement emballé avec du papier brun et de la ficelle. En l'ouvrant, je découvre un beau cahier avec une couverture en cuir noir sur laquelle est gravé mon prénom. *Camille.* Il est vraiment beau.

— Bonne fête, la cousine.

Je lui donne un baiser sur la joue. Il se laisse faire. Dans son autre main, il me dévoile mon vieux cahier, tout bosselé et abîmé. Je l'interroge du regard et je me souviens de ce que je lui avais dit. Je prends mon vieux cahier et je parcours les pages. J'ai peine à croire que c'est moi qui ai écrit tous ces mots. C'est comme s'ils ne m'appartenaient plus, comme si c'était la vie de quelqu'un d'autre. Je m'avance près du feu et, sans même hésiter, je le lance à l'intérieur. Le cahier frémit au contact de la braise puis se replie sur lui-même en prenant feu. On reste là, à le regarder brûler pendant que les adultes mettent la table.

Ce ne sont pas juste mes mots qui s'envolent en fumée. C'est un pan de ma vie qui se termine. Je tourne la page sur cet été salvateur qui m'aura vue naître sous un nouveau jour. Je me sens bien. Libérée.

Je n'ai plus peur maintenant.

o ils ont sauvé Camille
o Louis avant battais Mams et les filles

DOMAINE JEUNESSE

Achevé d'imprimer en mai 2018
sur les presses de
Marquis imprimeur

Éd. 01 / Imp. 04
Dépôt légal : octobre 2015